Contes et Légendes

Les Métamorphoses
d'Ovide

Un grand merci à Philippe THOMINE
qui a écrit avec moi certaines de ces métamorphoses.
L.G.

LAURENCE GILLOT

Contes et Légendes
Les Métamorphoses
d'Ovide

Illustrations d'Arnauld Rouèche

I

DEUCALION ET PYRRHA

L'HISTOIRE DES NOUVEAUX HOMMES

EN CE TEMPS-LÀ, les hommes ne craignaient plus les dieux. Ils ne les vénéraient plus.

En ce temps-là, les hommes ne se respectaient plus les uns, les autres. Ils ne savaient plus s'aimer. Ils se jalousaient et se trahissaient. Ils n'arrivaient plus à vivre ensemble. Ils se querellaient et s'entre-tuaient. Ils étaient devenus fous...

Du ciel, Jupiter assistait chaque jour à cette déchéance et chaque jour sa colère grandissait.

Un matin, elle éclata, terrible.

Le dieu des dieux déchaîna les eaux du ciel et celles de la Terre.

Pendant neuf jours et neuf nuits, la pluie tomba en cataractes. Les éclairs lacérèrent le ciel obscur. Le tonnerre grondait à chaque instant dans les hurlements du vent.

Les mers et les océans enflèrent. De la plus petite mare au plus grand lac, du torrent naissant au fleuve le plus majestueux, tous débordèrent et finirent par se réunir.

C'est ainsi que la Terre fut noyée, et avec elle tous les êtres vivants. Enfin, presque tous.

Seuls un homme et une femme, remarqués par Jupiter, elle pour sa piété, lui pour sa droiture, furent épargnés.

Seuls les animaux marins subsistèrent. Des dauphins naviguaient entre les arbres des anciennes forêts. Des pieuvres et des petits poissons exploraient des maisons englouties. Des crabes, des coquillages et des oursins visitaient des jardins immergés...

Puis, quand la Terre ne fut plus qu'une immense plaine liquide, Jupiter promit aux autres dieux « une race d'hommes nouvelle et dont l'origine serait merveilleuse ».

Deucalion serre sa femme contre lui. Elle est trempée. Elle tremble. Elle a froid et elle a peur.

– Écoute ! murmure-t-il. Écoute ! Le tonnerre s'éloigne. Le vent et la pluie semblent s'apaiser. On dirait que... c'est fini !

Pyrrha tourne vers son mari un visage qu'il reconnaît à peine. Elle essaie de sourire mais ses lèvres tressaillent. Elle articule :

– Nous sommes vivants !

– Oui ! souffle Deucalion. Notre barque n'était qu'une coquille de noix au milieu de la houle et des typhons.

– Nous aurions dû être engloutis, continue Pyrrha. Pourquoi les dieux nous ont-ils épargnés ?

Deucalion scrute l'horizon, à la recherche d'une réponse : les flots désormais assagis s'étendent à perte de vue. La limite entre la mer et le ciel est incertaine. Tout est gris et silencieux. Seules, quelques vaguelettes clapotent contre la coque de leur canot en bois.

– Nous sommes les derniers, Pyrrha, dit doucement Deucalion, les derniers des hommes. Mais à quoi bon continuer si la terre entière a disparu ?

Pyrrha cherche au fond d'elle-même une raison d'espérer. Jupiter ne peut pas les laisser mourir ainsi, après les avoir sauvés du déluge ! Non, ce n'est pas possible. Elle se redresse et s'apprête à crier sa colère vers le ciel quand soudain, au milieu de tout ce gris, elle aperçoit une forme brune, un rocher !

– Là-bas ! Regarde ! s'écrie-t-elle. Je savais que Jupiter ne nous abandonnerait pas !

Dans un ultime effort, Deucalion reprend les rames. Son échine est brisée et ses bras frissonnent d'épuisement.

Lentement, la barque avance et le couple éberlué reconnaît la forme majestueuse du récif.

– C'est le sommet du mont Parnasse ! murmure Deucalion.

Pyrrha ne veut pas croire ses yeux :

– Tu te souviens, avant... On ne le voyait presque jamais, il était toujours caché par les nuages !

– Alors, les eaux ont vraiment tout recouvert, tout..., conclut Deucalion et sa voix se brise dans un sanglot.

Pyrrha essuie les larmes de son mari, essaye de le rassurer :

– Aie confiance, Deucalion. Je suis sûre que les dieux vont encore nous aider !

Tant bien que mal, ils réussissent à amarrer leur embarcation et à grimper sur la roche. Ils trouvent refuge dans une faille où ils se blottissent, exténués. Avant de fermer les yeux, Pyrrha implore une dernière fois le dieu des dieux.

Pendant leur sommeil, Jupiter ordonne aux ondes de décroître, de retourner à la terre ou de s'évaporer. Puis d'un geste, il écarte les nuages...

Un rayon de soleil taquine les paupières de Deucalion et le réveille. Il s'étire et sourit. Puis d'un coup, tout lui revient à l'esprit : le déluge, la terre noyée, le mont Parnasse devenu un simple récif sur lequel son épouse et lui-même se sont réfugiés. Il se redresse pour voir.

Le niveau de l'océan a beaucoup baissé !

– Pyrrha ! appelle-t-il aussitôt. Pyrrha ! Regarde ! On aperçoit plusieurs sommets de montagne ! Les eaux sont en train de se retirer !

À son tour, Pyrrha s'éveille et découvre ces « îles » apparues autour d'eux. Les yeux tournés vers le ciel, elle murmure :

– Jupiter... Merci

– Descendons ! s'écrie Deucalion.

Ils passent à côté de leur barque qui pend maintenant de façon cocasse, attachée au sommet du mont Parnasse, et rejoignent le niveau de l'eau quelques mètres plus bas.

Pendant plusieurs jours, ils suivent ainsi la décrue des flots. Progressivement les eaux révèlent les rondeurs des collines, puis le faîte des forêts, enfin les plaines et les villages. Tout est tapissé de boue, d'algues et de limon. Tout est humide, glissant. Deucalion et Pyrrha marchent prudemment, main dans la main.

Pyrrha prie de tout son cœur Jupiter et d'autres divinités. Deucalion, lui, s'interroge à voix haute :

– Comment faire revivre la race humaine ? Comment repeupler la Terre ?

– Allons demander conseil à Thémis ! dit Pyrrha. Son sanctuaire est là, tout près.

– Mais en quoi la déesse de la justice peut-elle nous aider ?

– L'ignores-tu, Deucalion, Thémis peut prédire le destin. Ses prophéties nous indiqueront le chemin que nous devons suivre.

Ils pénètrent dans le temple dévasté par les

eaux. Il y fait froid et humide. Une odeur de moisi règne entre les murs couverts de mousse. Mais la statue de Thémis est toujours là debout sur son autel.

Deucalion et Pyrrha se prosternent. Ils baisent en tremblant la pierre glacée, ils rendent grâce ensemble et implorent :

– Thémis ! Parle-nous ! Nous sommes seuls sur la Terre ! Dis-nous comment redonner vie à l'humanité !

Ils fixent le visage de la déesse. Ils le regardent tant et tant que leur vue se brouille : ils voient maintenant un vrai visage de chair, un visage dont les lèvres se sont mises à bouger. Thémis leur parle !

– Éloignez-vous du temple, voilez-vous la tête, détachez la ceinture de vos vêtements, et jetez derrière vous les os de votre grand-mère.

– Tu as entendu ? s'exclame Deucalion.

Pyrrha acquiesce d'un signe de tête. Oui, elle a entendu, mais elle ne comprend pas.

Elle ne comprend pas comment une déesse peut exiger d'eux un acte aussi impie.

– Thémis ! s'écrie-t-elle. Que me demandes-tu ? D'aller déterrer mon aïeule et de jeter ses os derrière moi... Mais c'est un sacrilège !

Thémis ne répond pas. Son visage a retrouvé la froide immobilité de la pierre.

– Thémis ! implore Pyrrha. Parle encore !

– Elle a donné son oracle, dit Deucalion. Elle ne dira plus rien, maintenant. Mais peut-être son message a-t-il un sens caché.

Tous deux répètent à voix basse la phrase énigmatique de Thémis.

– Jetez derrière vous les os de votre grand-mère... Les os de votre grand-mère...

Longtemps, les mots résonnent dans leur tête, incompréhensibles. Quelle peut bien être cette ancêtre dont parle Thémis ?

– La Terre ! s'écrie enfin Deucalion. Notre grand-mère : c'est la Terre ! Et ses os, ce sont les pierres !

Devant la moue dubitative de sa femme,

Deucalion insiste.

– Viens ! l'incite-t-il. Il faut essayer !

Tous deux quittent le temple. Pyrrha voile son visage avec son châle. Deucalion utilise sa tunique de lin pour se couvrir. Ils desserrent leur ceinture et avancent côte à côte sans se retourner. Ils ramassent les pierres qui se trouvent devant eux et les jettent par-dessus leurs épaules.

Il se produit alors un phénomène étrange... Derrière eux, les pierres semblent se ramollir. Insensiblement leur forme change, s'allonge, elle se boursoufle à certains endroits, s'affine à d'autres. Comme dans des blocs de marbre que le sculpteur ébauche, des silhouettes humaines se révèlent peu à peu.

Lentement, la pierre elle-même se modifie en os tandis que ses veines deviennent veines du corps. Enfin, la boue attachée à la roche depuis le déluge se transforme en chair et sang.

Les pierres jetées par Deucalion se métamorphosent en hommes et celles lancées par Pyrrha, en femmes.

Sans relâche, les deux survivants parcourent toutes les contrées, laissant derrière eux une multitude d'êtres humains...

Ainsi, comme l'avait promis Jupiter aux autres dieux, la Terre se repeuple d'une nouvelle race d'hommes dont l'origine est merveilleuse.

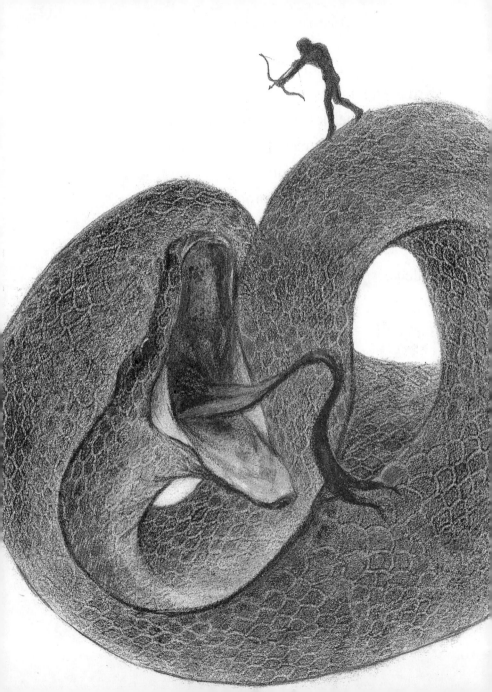

II

APOLLON ET DAPHNÉ

JUSTE après la création des nouveaux hommes par Deucalion et Pyrrha, les animaux sortent de la vase, surgissent du limon. Beaucoup appartiennent à des espèces déjà représentées avant l'inondation, mais certains sont des créatures nouvelles, encore inconnues. La Terre se réjouit de ces enfantements et de la vie qui l'anime à nouveau.

Elle serait pleinement épanouie s'il n'y avait pas, parmi toutes les bêtes issues de ses entrailles, Python. Python est un monstre, un reptile gigantesque. Né lui aussi de la boue, il déploie maintenant son corps puissant et visqueux au creux d'une vallée qui s'étire au pied du mont Parnasse. À l'endroit même où Deucalion et Pyrrha sont passés, un mois auparavant.

Python est si long – il mesure plusieurs kilomètres – que les méandres de son interminable tronc entourent même le temple de Thémis où les deux survivants ont consulté l'oracle. Quand il se redresse, sa tête passe au-dessus des collines environnantes.

Malgré sa taille, Python est vif. Lorsqu'il se déplace, il déracine les arbres et déclenche de formidables éboulements. Bien évidemment, il dévore tout sur son passage et terrorise hommes et bêtes.

Ceux qui tentent de le tuer périssent écrasés, étouffés ou avalés. Ceux qui, innocemment, se dirigent vers le temple pour rendre hommage à Thémis n'y arrivent ou n'en reviennent jamais.

Seule une intervention divine pourrait venir à bout de ce reptile colossal. La Terre implore Jupiter :

– Foudroie-le ! supplie-t-elle.

Les nouveaux hommes aussi prient :

– Jupiter, débarrasse-nous de cet animal féroce !

Et le dieu des dieux finit par envoyer Apollon, son fils.

– Tu passes ton temps à jouer de la musique, à inventer des vers, lui reproche-t-il. Envole-toi vers la contrée où sévit Python et rends-toi utile !

Le jeune dieu fait la moue. D'un naturel rêveur et contemplatif, il ne se sent ni belliqueux, ni guerrier, ni brave. Mais comment pourrait-il désobéir à son père ? Il échange sa lyre contre un arc et des flèches et s'en va.

Apollon considère longuement la bête depuis le ciel. Son regard parcourt les lacets formés par le corps du reptile. Lentement, il saisit une flèche dans son carquois, bande son arme divine et tire. Le trait se plante entre les deux yeux de Python. L'animal se cabre dans un violent spasme de douleur.

Apollon remet immédiatement le monstre en joue. Le second projectile s'enfonce à côté du premier. La bête, folle de rage, s'arc-boute et crache un venin noir. Le dieu récidive trois, quatre, dix, trente, cent, cinq cents, huit cents fois... Il perce de mille flèches le crâne et le corps de l'animal. Python se tord en tous sens puis s'immobilise enfin, sans vie. Apollon lève les bras au ciel en signe de victoire. C'est là son premier acte de bravoure !

Les nouveaux hommes ont vu les traits d'Apollon fendre les airs.

– Les petits-enfants de nos petits-enfants doivent se souvenir de ce que tu as fait pour nous ! déclarent-ils.

– Pour garder la mémoire de mon geste, répond le dieu, vous organiserez, à chaque retour du printemps, des joutes athlétiques à l'endroit même où Python a péri. Vous appellerez ces rencontres les « jeux pythiques ».

Par son exploit, Apollon a aussi libéré l'accès au temple de Thémis. Il rend visite à la déesse. Celle-ci le félicite pour son courage et l'initie à la divination.

– Désormais, dit-elle, c'est toi qui seras le gardien de ce sanctuaire où les mortels viennent chercher les clefs de leur avenir.

Le dieu choisit alors, parmi les nouveaux humains, une femme qui devra habiter en permanence le lieu sacré. Pour la nommer, il décide, encore une fois, d'utiliser le nom du monstre qu'il vient de vaincre : elle s'appellera la Pythie. Elle sera l'intermédiaire entre les hommes et les dieux et transmettra les paroles divines. Mais ces paroles garderont la forme d'oracles mystérieux, d'énigmes que les hommes devront déchiffrer.

Puis, Apollon reprend sa route à travers les nuages. Il rencontre bientôt le dieu de l'amour et du désir, Cupidon, voletant dans le ciel. Il est plutôt petit, plutôt dodu, plutôt joufflu. Il a deux petites ailes dans le dos et tient un arc qui paraît minuscule à côté de celui d'Apollon. Ses flèches dorées et pointues ont un pouvoir exceptionnel : elles déclenchent un sentiment passionné dans le cœur de celles et ceux qui les reçoivent. Mais Cupidon possède également une autre sorte de flèche bien différente. Leur pointe est émoussée et contient du plomb. Ces traits-là ont la particularité de chasser l'amour.

Apollon, encore tout fier de sa prouesse, ne peut s'empêcher de railler Cupidon :

– Que fait le petit dieu de l'amour, pendant que je terrasse des bêtes monstrueuses pour secourir les hommes ? Il lance ses petites flèches invisibles qui rendent amoureux !

Cupidon glisse un regard noir vers Apollon qui reprend :

– Peux-tu m'expliquer à quoi tu sers ?... Non ?... Eh bien, je vais te le dire : tu ne sers à rien ! Tu es tout simplement i-nu-tile !

Le visage de Cupidon vire au rouge, ses yeux lancent des éclairs. Il meurt d'envie de châtier l'insolence d'Apollon. Celui-ci l'a bien compris mais poursuit ses moqueries :

– Mon pauvre Cupidon, tes malheureuses fléchettes n'auraient aucun effet sur moi ! N'as-tu pas entendu parler de mon aventure avec l'affreux Python ? Je suis désormais un guerrier inflexible et mon cœur est aussi imperturbable que s'il était fait de marbre !

Puis il tourne les talons et, satisfait d'avoir ridiculisé le petit dieu de l'amour, il s'envole majestueusement vers d'autres lieux célestes,

Cupidon n'a pas desserré les dents, mais il est déjà en train de choisir avec soin deux flèches dans son carquois, tout en fouillant du regard la Terre, juste en dessous de lui. Ses yeux perçants distinguent Daphné, une jeune nymphe qui traverse une prairie en compagnie d'une biche. Elle semble heureuse et insouciante.

Cupidon bande son arc et lui adresse avec précision une de ses flèches qui chassent l'amour. Daphné porte sa main à sa poitrine en grimaçant.

Immédiatement, Cupidon se remet en position de tir. Il tend la corde de son arc au maximum et vise Apollon, déjà loin. La flèche dorée fend l'air en sifflant, rattrape le puissant dieu et lui transperce les côtes.

La douleur oblige Apollon à s'arrêter un moment pour souffler. À cet instant même, ses yeux se posent sur la nymphe.

Dès qu'il la voit, son cœur se met à battre comme un tambour. Cette nymphe au corps frêle et aux allures de sauvageonne lui plaît. Elle lui plaît à la folie.

Apollon la dévore du regard. Depuis le ciel, il observe le moindre de ses mouvements. Elle vient de quitter la prairie et pénètre dans la forêt. Elle tient maintenant la biche par le cou et l'embrasse. Pour mieux la voir, le dieu s'approche et se cache dans la cime des arbres. Comme elle est belle !

La voilà qui arrive près de son père, le fleuve

Pénée. Celui-ci coule doucement. La biche se désaltère et Daphné caresse les ondes de sa main.

– Père ! dit-elle. Je suis là !

– Je vois ! dit le fleuve. Je pensais justement à toi.

– À moi ? s'étonne Daphné. Tu as l'air triste et sombre aujourd'hui. Est-ce moi qui te donne du souci ?

– J'aimerais tant être grand-père ! confie le fleuve à sa fille.

– Tu me l'as déjà dit ! répond la nymphe.

– Tu me dois un gendre ! Tu me dois des petits-enfants qui joueront sur mes rives, se lamente le fleuve. Je désespère de te voir seule. Tu passes ton temps à courir les bois, à apprivoiser des animaux sauvages !

– Mais je suis heureuse ainsi ! plaide-t-elle avant d'implorer : Oh père ! Permets-moi de rester vierge et libre ! Je n'ai aucun besoin d'un homme...

Daphné se moque de l'amour et du mariage. Son regard n'est pas attiré par les garçons et son cœur ne s'est jamais enflammé pour aucun d'entre eux. Elle ne le sait pas, mais la flèche de plomb de Cupidon vient de la rendre plus farouche encore qu'elle ne l'était avant.

– Combien de prétendants as-tu déjà éconduits ? poursuit son père avec désolation.

– Oh ! Je ne les compte pas ! dit Daphné en éclatant de rire. Qu'ils me laissent tranquille !

Et elle s'élance gaiement sur les rives du fleuve sautant de pierre en pierre.

En haut des arbres, Apollon n'a pu suivre la conversation, mais il ne l'a pas lâchée des yeux : Daphné accroupie au bord de l'eau, ses longs cheveux balayant son dos, sa main qui frôlait les ondes, puis maintenant Daphné qui court, légère, sur le rivage... Il est complètement subjugué, captivé par la grâce de la jeune fille.

Suivie de son amie la biche, Daphné regagne la forêt. Apollon descend au niveau du sol afin de mieux voir son visage. Il se cache pour l'admirer. Ses yeux sont rêveurs et rieurs à la fois, sa bouche enfantine...

– Maintenant, je vais me montrer ! décide-t-il.

Apollon apparaît au bout du chemin sur lequel avance la nymphe. Daphné parle à la biche, elle n'a pas encore remarqué cette présence nouvelle.

Apollon se rapproche. Elle l'aperçoit soudain et quitte aussitôt le chemin pour s'échapper à travers les futaies. La biche, elle aussi, s'enfuit et il n'est pas possible de dire laquelle des deux est la plus effrayée ni laquelle court le plus vite.

Apollon lui crie :

– Attends ! Arrête ! Je suis ton ami.

Daphné ne veut pas d'ami. Le dieu se lance à sa poursuite.

– N'aie pas peur, je ne te veux aucun mal ! C'est l'amour qui me jette sur tes traces !

Daphné accélère. L'amour ! Voilà un mot qu'aujourd'hui, à cause de la flèche de Cupidon, elle a encore moins envie d'entendre.

Apollon s'inquiète :

– Tu vas trop vite ! Prends garde de ne pas

tomber ! Regarde, les ronces blessent tes jambes ! Je ne veux pas que tu souffres à cause de moi !

Daphné ignore les épines qui l'égratignent. Haletante, elle crie sans se retourner :

– Si tu éprouves pour moi des sentiments, comme tu le prétends, laisse-moi en paix !

– Je t'aime trop pour t'abandonner !

Au détour d'un buisson, Daphné change subitement de direction, mais sa ruse échoue. Apollon est toujours sur ses talons.

– Le terrain sur lequel tu te lances est accidenté ! Fais attention !

Daphné au contraire redouble d'ardeur. Elle donnerait tout pour être délivrée de la présence de cet homme qui se rapproche d'elle, d'instant en instant.

Apollon, lui, la trouve plus belle que jamais, d'autant que sa course fait voler ses cheveux et ses vêtements, dévoilant son cou et ses jambes.

Il pense soudain à se présenter :

– Écoute-moi... Je comprends... Tu t'enfuis

car tu ne sais pas qui je suis. Mon père s'appelle Jupiter...

La nymphe s'en moque. Dieu ou pas, celui qui la poursuit est pour elle semblable au loup qui veut dévorer la biche.

L'énergie du jeune dieu est sans limites, il n'a aucun besoin de repos. Tandis que la jeune fille, elle, est arrivée au bout de ses forces.

Déjà, Daphné sent le souffle de son poursuivant sur ses frêles épaules. Déjà, la main d'Apollon effleure son bras. Désespérée, Daphné appelle alors silencieusement son père, au plus profond de son cœur :

– Père !... Père ! Si tu as vraiment un pouvoir divin, viens à mon secours et délivre-moi par une métamorphose ! Je préfère ne plus être Daphné que d'être à cet homme ! Père, si tu m'aimes vraiment...

À peine a-t-elle prononcé ces mots qu'elle se sent envahie par une lourde torpeur. Sa peau se couvre rapidement d'une mince écorce. Ses cheveux se prolongent en feuillage, ses bras grandissent et se changent en rameaux, ses pieds, tout à l'heure si agiles, adhèrent au sol par des racines.

Par amour pour sa fille et malgré son désir d'avoir des petits-enfants, le fleuve Pénée exauce son vœu et la transforme en laurier.

Apollon, stupéfait, assiste à la métamorphose de Daphné. Il pose sa main sur le tronc et sent le cœur de sa belle battre encore sous le bois. Il enlace les rameaux, il embrasse le bois. Sous ses mains, sous sa bouche, il sent l'écorce devenir dure et rugueuse. Il recule et, toujours aussi fou d'amour, il déclare solennellement :

– Puisque tu ne veux pas être mon épouse, tu seras mon arbre. Désormais, laurier, j'ornerai ma chevelure, ma cithare et mon carquois avec tes branches. Tu couronneras aussi les vainqueurs des jeux pythiques. Et puisque les cheveux de Daphné n'ont, semble-t-il, jamais connu les ciseaux, ton feuillage sera perpétuellement vert, il n'aura rien à redouter de l'automne.

À ces mots, l'arbre agite ses branches nouvelles. Sa cime semble s'incliner vers Apollon
qui, les yeux baignés de larmes, le cœur bouleversé, murmure une dernière fois :

– Je t'aime !

Comme un chant, le doux bruissement des
feuilles lui répond longuement.

Apollon a tenu parole. Le laurier est devenu
son arbre. Et les couronnes tressées avec ses
rameaux demeurent, encore aujourd'hui,
comme au temps lointain des jeux pythiques,
le symbole de la victoire.

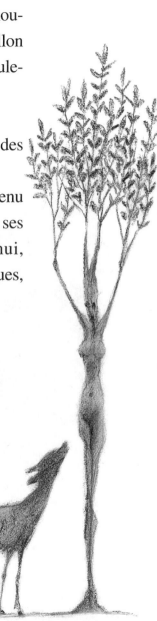

III

Io

Jupiter, le dieu des dieux, le maître du ciel et de la foudre, vient de tomber amoureux. Là, à l'instant. Son cœur bat pour Io, une nymphe. Une très belle nymphe, la fille du fleuve Pénée.

Depuis l'Empyrée, sa maison céleste, il la regarde aller, venir, rire.

– Comme elle est gracieuse ! Comme elle est joyeuse ! murmure Jupiter, rêveur.

À moitié nue, Io est maintenant allongée au soleil, couchée sur un tapis d'herbe verte. Jupiter retient son souffle tellement il la trouve ravissante. Son désir subitement est trop fort.

– Je la veux ! décide-t-il avec fougue.

Soudain, une nuée étrange se lève dans le ciel, une singulière atmosphère tourne autour d'Io et l'effraie. La nymphe perçoit une curieuse présence à ses côtés et elle se redresse, en alerte.

– Que se passe-t-il ? s'écrie-t-elle en s'élançant à travers les pâturages.

Jupiter, invisible, tente de la rassurer :

– Ne fuis pas ! Ô vierge ! Ne crains rien !

Puis avec audace, il l'invite :

– Le soleil est brûlant... Viens sous les ombrages de ces bois !

Mais Io se méfie évidemment et court plus vite encore.

– Allons ! reprend Jupiter, impatient. Crois-moi ! Entre dans la fraîcheur de la forêt...

Apeurée, Io s'éloigne du bois.

– Ah, je comprends..., continue Jupiter. Tu redoutes de pénétrer seule dans les repaires des bêtes sauvages, n'est-ce pas ?

Io ne répond pas. Elle court.

– Sache que, de ma main puissante, c'est moi qui tiens le sceptre du ciel et qui lance la foudre.

Io s'en moque. Elle file.

– Je te protégerai ! assure Jupiter à la nymphe. Ne me fuis pas ! implore-t-il encore.

Mais Io détale, terrifiée.

Jupiter n'arrive pas à apprivoiser la nymphe. Rempli d'amour et de désir, il perd patience et fait tomber la nuit autour d'elle. Égarée, surprise par les ténèbres, Io arrête sa course folle et Jupiter l'enlace amoureusement et... lui vole son honneur.

Au même moment dans les hauteurs, Junon, l'épouse céleste de Jupiter, est troublée :

– Pourquoi fait-il nuit à cet endroit de la Terre alors que le soleil n'a pas fini sa randonnée ?

Intriguée, elle se penche davantage et se rend compte que ces vapeurs obscures ne viennent ni de la terre chaude, ni du fleuve.

– C'est vraiment étrange ! s'étonne Junon.

Aussitôt, un doute l'envahit : elle connaît son mari et ses frasques terriennes. Junon l'appelle :

– Jupiter ! Jupiter ! Où es-tu ?

Elle le cherche fébrilement dans le ciel mais... il n'y est pas.

Le soupçon déchire son cœur.

– Ou je me trompe ou il me trompe ! murmure-t-elle.

Elle veut savoir. Elle veut voir, et sous l'emprise d'une violente jalousie, elle descend du ciel, pose le pied sur le sol et ordonne aux voiles noirs de se retirer.

Dans le même temps, Jupiter, alerté par l'arrivée de sa femme, change Io, sa tendre, sa douce... en génisse ! En génisse d'une blancheur éclatante.

Quand Junon découvre l'animal, elle ne peut s'empêcher de l'admirer : ses formes sont parfaites, sa prestance superbe et gracieuse.

Elle demande à son époux :

– D'où vient cette génisse ? À quel troupeau appartient-elle ?

Jupiter, plein d'assurance, ment :

– Elle est née de la Terre ! lance-t-il effrontément.

– Elle est magnifique ! reconnaît Junon. Offre-la-moi ! Je la veux !

Jupiter pâlit...

« Non, ce n'est pas possible, je ne peux donner mon amante à ma femme ! » pense-t-il. Puis il se ravise, raisonnant tout bas : « Si je refuse de lui donner l'animal, Junon se doutera tout de suite que ce n'est pas une simple génisse et je la connais, elle deviendra telle une furie. »

– Elle est à toi ! dit Jupiter en livrant Io à Junon.

Mais Junon n'a aucune confiance en Jupiter. Elle pressent que son époux lui cache quelque chose et, sans savoir pourquoi, elle redoute qu'il trouve une ruse pour lui reprendre l'animal.

Aussi décide-t-elle de faire surveiller sa génisse nuit et jour par Argus.

Argus... Ce n'est pas un homme comme les autres, non ! Il a cent yeux tout autour de la tête. Des yeux qui se ferment à tour de rôle. Quand les uns se reposent, les autres veillent. De dos, de face, de côté... Argus peut ainsi surveiller sans relâche Io. La pauvre Io...

Le jour, il la laisse paître où bon lui semble. Mais il la suit. La nuit, il passe autour de son cou une corde et il l'enferme dans une hutte. Junon, là-haut, est rassurée. Elle savoure une trouble vengeance : à ses côtés, elle devine Jupiter nerveux, préoccupé, inquiet.

Sous son apparence bovine, Io souffre atrocement car elle a conservé sa conscience humaine. De plus, elle se dégoûte elle-même quand elle broute herbe et feuillage ou quand elle aspire les eaux parfois fangeuses des ruisseaux. Elle aimerait crier à Argus la vérité mais quand elle essaie de lui dire : « Je suis une nymphe ! C'est le grand Jupiter lui-même qui m'a métamorphosée... », c'est un terrible mugissement qui sort de sa bouche. Horreur ! Io est épouvantée. Elle hurle de douleur. Qu'est-elle devenue !

Elle a besoin du soutien de son père. Oui, elle veut le voir, le sentir et peut-être lui faire comprendre sa tragédie.

Elle s'approche du fleuve, le cœur brisé.

« Père ! pense-t-elle. Je suis là ! »

Elle se penche au-dessus de lui pour l'embrasser mais recule aussitôt pleine d'effroi. Les cornes, là, ce sont les siennes ! Et ce museau baveux, c'est le sien ! Horrifiée par son propre reflet, Io pleure.

Le fleuve Pénée pleure aussi, il se lamente de la disparition de sa fille. Il la cherche partout, et ses eaux tourbillonnent de détresse.

– Io ! appellent les courants. Io ! Reviens ! Où es-tu ?

– Je suis là ! meugle Io, mais son père ne la comprend pas.

Io s'approche alors de ses sœurs-nymphes.

Celles-ci admirent la belle génisse blanche et la caressent sans se douter que Io est là, emprisonnée dans la peau de l'animal. Elles jouent avec, elles lui offrent des touffes d'herbe. Son père également lui tend des roseaux savoureux et Io lui lèche les doigts en pleurant. Elle aimerait tant qu'ils la reconnaissent mais elle a perdu son apparence, elle a perdu sa voix, elle a tout perdu.

Un jour lui vient une idée. Avec obstination, elle grave sur la rive sablonneuse de son père deux lettres. Elle est malhabile, elle a de la peine à diriger son sabot, mais néanmoins elle parvient à dessiner un I et un O.

En lisant le prénom de sa fille sur sa berge, le Pénée pousse une longue lamentation :

– Quel malheur ! Es-tu bien ma fille ? Celle que je cherche désespérément depuis des jours ?

Io répond : « Oui père, c'est moi et je me tords de douleur dans ce corps de vache », mais... c'est un affreux mugissement qui racle sa gorge.

Le fleuve est affligé :

– Quand tu étais disparue, le chagrin me serrait le cœur, dit-il. Mais maintenant que tu m'es rendue, ma blessure est plus vive encore. Pendant ton absence, je songeais à mon futur gendre, je t'avais même préparé ta couche nuptiale au pied d'un saule. Et puis, j'imaginais mes petits-enfants. Maintenant, c'est dans un troupeau que tu dois trouver un époux et encore dans un troupeau que tu dois avoir un fils...

Et voilà que le fleuve meurtri se met à enfler et à écumer de douleur. Argus a peur que la génisse que lui a confiée la déesse ne se noie et il l'arrache brutalement au fleuve :

– Viens là, toi ! lui dit-il.

Et il l'emmène dans des pâturages éloignés.

Sous la voûte céleste, il y a quelqu'un d'autre qui se lamente : c'est Jupiter. Il aime Io et ne supporte pas de la voir accablée de si grands maux. Depuis des jours et des nuits, il se demande comment déjouer la vigilance d'Argus et comment endormir l'attention de sa femme.

Un matin, il décide d'envoyer Mercure, l'un de ses fils.

– Va, lui dit-il. Va et anéantis Argus !

Mercure obéit. Il chausse ses souliers ailés et il s'envole vers la Terre. Non loin d'Argus, il se déguise en berger, quitte ses chaussures et se mêle à un troupeau de chèvres.

En chemin, il construit une flûte de Pan et, tout en s'approchant d'Argus, il joue une mélodie joyeuse. Ses harmonies ravissent le gardien.

– Arrête-toi un peu ! lui propose Argus. Ici, l'herbe est grasse et il y a de l'ombre propice aux bergers !

Mercure s'assied sur un rocher aux côtés du monstre aux cent yeux et propose de lui raconter de beaux récits, de grandes épopées.

– Volontiers ! dit Argus, visiblement content de ne plus être seul.

Mercure parle lentement et donne beaucoup

de détails. Il espère ainsi endormir son compagnon. Parfois, il s'arrête pour souffler quelques notes dans son instrument de roseaux. Argus est enchanté. Il se laisse bercer mais reste néanmoins vigilant. Si la plupart de ses yeux se sont assoupis, certains veillent encore.

– Raconte-moi l'histoire de ta flûte..., demande Argus dans un long bâillement.

– Bien sûr ! dit Mercure. Si cela te fait plaisir !

Et il commence sur un ton monocorde et ennuyeux l'histoire de la syrinx.

– Syrinx était une naïade très belle, raconte Mercure, et le dieu Pan tomba fou amoureux d'elle. Évidemment, il voulut la séduire mais Pan n'était pas très beau. Mi-homme, mi-bouc, il portait des cornes et ses pieds étaient fourchus. Son apparence effrayait Syrinx. Aussi, quand Pan s'approcha d'elle, la naïade s'échappa à travers champs. Pan la poursuivit mais leur course fut rapidement arrêtée par les ondes d'un fleuve. Sous l'emprise de la peur, Syrinx supplia les dieux de la métamorphoser pour se soustraire à son soupirant. Et c'est ainsi que la naïade se transforma en roseaux à l'instant même où Pan la saisissait dans ses bras. Pan soupira, éperdu d'amour, découragé, et son souffle, en pénétrant dans les roseaux, produisit un son mélodieux. Pan eut alors l'idée d'inventer un instrument de musique, une flûte en mémoire de sa bien-aimée...

Après une pause, Mercure remarque :

– Cette histoire me fait penser à celle de Daphné et Apollon. Pas toi ?

Mercure se tourne vers Argus : tous ses yeux sont fermés ! Aussitôt, il se tait et, pour l'assoupir plus sûrement encore, il promène sur ses paupières pleines de rêve sa baguette magique. Quand soudainement la tête d'Argus s'incline, Mercure la tranche et la fait rouler au pied de la roche sur laquelle ils sont tous les deux assis.

Junon, dans les nuages, a assisté à la scène

et son cœur s'enflamme de colère. Vite, elle descend des hauteurs pour ramasser les cent yeux d'Argus et elle les rassemble sur le plumage de son oiseau préféré : le paon. Elle les répand comme des pierres précieuses sur sa queue étoilée.

Puis, de rage, elle fait voler un taon autour de Io. L'animal bourdonne bruyamment avant de piquer impitoyablement le flanc de la génisse. La douleur est tellement vive que Io s'arc-boute et détale. Elle court dans tous les sens jusqu'à perdre haleine et finit par s'écrouler près du Pénée, son père. Les genoux au sol, la tête renversée vers le ciel, elle meugle son intolérable souffrance à Jupiter. Elle l'implore de mettre fin à ses maux d'une façon ou d'une autre.

– Pitié ! meugle désespérément Io.

Jupiter l'entend. Il court vers Junon, il l'enlace et supplie à son tour :

– Pitié, Junon ! Pitié ! Cette vache n'est pas une vache ! C'est une nymphe que j'ai transformée pour ne pas éveiller ta jalousie et ta colère. Oh ! Pardonne-moi et, je t'en supplie, délivre-la ! Tu n'auras plus rien à craindre d'elle, je ne la convoiterai plus, je te le jure !

La déesse sourit nerveusement. La panique et le repentir de son époux lui confèrent un étrange sentiment de victoire. Toute-puissante, elle commande :

– Qu'elle reprenne sa forme d'origine !

Dans le même instant, les poils de Io tombent, ses cornes décroissent, ses yeux se rétrécissent, sa bouche se resserre, ses mains et ses épaules se reforment, ses sabots s'évanouissent... Io redevient Io.

Io se redresse, engourdie. Elle tente quelques pas : elle marche comme avant. Elle palpe son visage, elle remue ses doigts, elle plie ses jambes. Elle se sent libérée, soulagée, mais n'ose pas encore parler de peur de ne point avoir retrouvé sa voix. Io ne sait pas encore qu'elle attend un enfant de Jupiter. Un fils qu'elle prénommera Apaphus...

IV
PHAÉTON

APAPHUS, le fils de la nymphe Io et du tout-puissant Jupiter, a un grand ami. Il s'appelle Phaéton. Tous les deux s'aiment beaucoup même si régulièrement... Phaéton agace Apaphus.

Un jour, une dispute éclate entre eux :

– Arrête de te vanter ! s'exclame Apaphus. Arrête de répéter sans cesse que tu es le fils du Soleil, tu sais bien que ce n'est pas vrai !

– Si, c'est vrai ! C'est ma mère qui me l'a dit ! rétorque Phaéton.

– Mais tout le monde sait qu'elle ment !

Phaéton blêmit. Apaphus continue :

– Clymène, ta mère, a trompé son mari avec un autre homme. Celui qui t'élève n'est pas ton père ! Et pour cacher sa faute, elle s'est inventé une histoire avec un dieu ! Une aventure avec le Soleil ! Ah ! Ah ! Voilà la vérité !

Apaphus regrette déjà d'avoir prononcé ces phrases cruelles. Mais il est trop tard. Phaéton s'éloigne, submergé par la honte.

Tout ce que son camarade vient de dire, il le sait sans vouloir le savoir. Il l'a déjà entendu sans vouloir l'entendre vraiment. Depuis qu'il est né, cette rumeur le poursuit. Voilà aujourd'hui qu'elle le rattrape.

Phaéton a l'impression que quelque chose vient de se rompre en lui. Cela fait trop longtemps qu'il vit dans le doute. Un doute insupportable. Un doute dévastateur.

Il se précipite à la recherche de sa mère. Puis il se blottit contre elle et l'implore :

– Je t'en supplie ! Donne-moi une preuve de ma naissance céleste !

Clymène est bouleversée par la souffrance de son fils. Humiliée aussi. Elle connaît trop bien cette rumeur perfide qui la compromet depuis tant d'années. Elle lève les yeux vers le Soleil :

– Regarde, Phaéton, articule-t-elle, et crois-moi, cet astre merveilleux qui nous réchauffe à cet instant, je te jure, je te jure que c'est ton père...

– Jurer ne suffit pas ! l'interrompt Phaéton. Je veux une preuve !

Clymène tend les bras vers le ciel :

– Soleil ! s'écrie-t-elle, regarde la souffrance de ton enfant, donne-lui une preuve de son origine divine ! Si je lui mens, prive-moi de ta lumière et fais que ce jour soit pour moi le dernier !

Dans le ciel immobile, le Soleil se tait, écrasant de lumière la mère et le fils.

– Je veux une preuve ! répète Phaéton, buté.

Alors Clymène saisit son fils par les épaules et plonge ses yeux dans les siens :

– Si tu ne me crois pas, crie-t-elle, va lui demander ! Va trouver ton père ! Chaque matin, il touche notre terre !

Puis elle éclate en sanglots.

Pourquoi n'y a-t-il pas pensé plus tôt ? Phaéton se met aussitôt en route. Il marche longtemps, vers l'est. À l'aurore, il est devant la brûlante demeure de celui qui est – peut-être ! – son père.

Le palais du Soleil est éblouissant. Phaéton s'arrête, sidéré par la beauté des lieux. Ici, tout brille de mille feux. Ici, tout est immense et fabuleux. Son cœur tambourine dans sa poitrine. Le jeune homme gravit les marches et l'aperçoit... Le Soleil est là devant lui, vêtu d'un manteau de pourpre, assis sur un trône resplendissant d'émeraudes.

Le dieu l'accueille simplement :

– Phaéton, mon fils, celui que je ne saurais renier, dis-moi, qu'es-tu venu chercher ?

« Phaéton, mon fils, celui que je ne saurais renier... » Les mots du Soleil résonnent dans la tête de Phaéton sans pour autant l'apaiser.

– Ôte le doute qui ravage mon esprit ! répond Phaéton avec avidité. Donne-moi un gage que tu es bien mon père ! Prouve-moi que Clymène, ma mère, me dit la vérité !

Le Soleil perçoit bien la blessure qui déchire le cœur de Phaéton :

– Approche ! lui dit-il en retirant la couronne de rayons qui lui ceint la tête.

Phaéton avance et le Soleil l'embrasse avec une infinie tendresse.

– Je suis ton père, affirme l'astre brûlant, et pour dissiper tes doutes, demande-moi une faveur, n'importe laquelle, et je te promets, je te l'accorderai.

– Je veux conduire ton char pendant un jour ! s'exclame immédiatement Phaéton.

Le Soleil reste silencieux.

– Je veux être à la tête de tes chevaux aux pieds ailés ! s'emballe le garçon.

L'astre balance sa tête de droite à gauche et répond à la fois avec affection et fermeté :

– Non, mon fils ! C'est la seule chose que je te refuserai.

– Mais tu as promis ! s'insurge Phaéton.

– C'est trop dangereux ! La tâche que tu demandes est bien trop périlleuse. Elle ne convient ni à ton jeune âge, ni à tes forces.

– Mais tu as promis ! s'obstine Phaéton.

Le dieu s'efforce de rester calme :

– Personne ne peut se tenir sur le char qui apporte la lumière au monde. Pas même Jupiter !

Mais le garçon s'entête :

– Je veux conduire ton char !

Le Soleil réfléchit puis décide de décrire la route à son fils. Il espère ainsi qu'il mesurera mieux les dangers et renoncera de lui-même.

– La première partie est escarpée, explique-t-il. Il s'agit de s'élever dans le ciel et, le matin, mes chevaux encore engourdis de sommeil ont du mal à avancer. Il faut savoir les guider sans les irriter.

– J'y arriverai ! affirme Phaéton.

– Vers midi, le char est à une telle hauteur que moi-même j'ai parfois le vertige. Si je regarde la terre et la mer en bas, mon cœur palpite d'effroi.

– Je ne baisserai pas les yeux ! jure Phaéton.

– La dernière partie est en pente et elle est très dangereuse. Il faut maîtriser l'élan des quatre chevaux. Ils sont impétueux, ce sont des animaux célestes.

– Je les dompterai ! assure Phaéton.

– Et puis, ajoute le Soleil, le ciel est sans cesse tourmenté. Sauras-tu lutter contre les vents, les courants, les attractions magnétiques ? Sauras-tu éviter les étoiles et les...

– Tu as promis ! l'interrompt Phaéton avec détermination.

Soudain, le Soleil s'emporte :

– Mais enfin ! Qu'imagines-tu trouver là-haut ? Des bois sacrés, des villes habitées par des dieux ? Des sanctuaires pleins d'offrandes. Non ! Là-haut, tu dois avancer parmi les pièges et les bêtes sauvages ! Il te faudra passer entre les cornes du Taureau, la gueule du Lion, à côté du Scorpion et du Cancer.

– Je déjouerai les pièges tendus par les constellations ! répond Phaéton, résolu.

– Quel père enverrait son fils à la mort ? s'insurge alors le Soleil. Je ne veux pas te prêter mon char car je ne veux pas te perdre ! Tu entends ? Ma seule inquiétude devrait te prouver que je suis ton père. Je t'en supplie, demande-moi tout ce que tu veux mais renonce à ce caprice, car sans le savoir, c'est un supplice que tu réclames et non une faveur !

Mais Phaéton est rebelle et, sans écouter davantage son père, il se dirige vers le char d'or.

– Je t'en conjure ! s'écrie encore le Soleil. N'y va pas !

Phaéton est déjà sur le char.

Son père le couvre d'ultimes conseils. Sa voix tremble :

– Ne galope pas trop haut : tu brûlerais les

demeures des dieux... Ne voyage pas trop bas, il y a la Terre, les hommes, ta mère, tes sœurs...

– Mes sœurs !? s'étonne Phaéton.

– Avant toi... ta mère... m'a donné quatre filles, bredouille le Soleil. Tous les jours, je les regarde aller et venir dans les prairies et les forêts. Toi aussi, je t'observe depuis que tu es né, tu sais !

Phaéton est interloqué. Hier, il ne savait pas le nom de son père et aujourd'hui, il apprend qu'il a quatre sœurs !

Où vivent-elles ? Que font-elles ? Pourquoi sa mère ne lui en a jamais parlé ? Toutes ces questions traversent son esprit comme des éclairs mais il est pris d'une pressante envie de partir. Il balbutie :

– Maintenant, j'y vais !

Le Soleil lui recommande encore :

– N'oublie pas, le milieu est le chemin le plus sûr...

Phaéton acquiesce de la tête.

– Et puis contrôle l'ardeur des chevaux

avec les rênes... Ne va pas tout droit. Évite les pôles et la Grande Ourse... Suis les traces que j'ai laissées hier avec mes roues, continue le dieu.

Phaéton écoute à peine tant il est fébrile. Pyrois, Éoiis, Éthon, Phlégon, les quatre chevaux, emplissent l'air de leurs hennissements et de leurs souffles enflammés.

– Ils sont impatients, dit le Soleil. D'habitude à cette heure, nous sommes déjà partis. Va, mon fils, mais je t'en conjure, sois vigilant !

– À ce soir ! lance Phaéton en brandissant les rênes.

Les chevaux démarrent vivement, leurs pieds ailés s'agitent et fendent les nuages. Le char s'envole... et le cœur de Phaéton est délivré : il sait maintenant avec certitude qui est son père.

L'attelage prend peu à peu de l'altitude. Phaéton est exalté, rempli d'un étrange sentiment. Mais il ne tient pas les brides avec la même fermeté que son père. Et son poids, plus léger que celui du Soleil, perturbe les quatre coursiers. Moins bien tenus, ces derniers ne tardent pas à faire des cabrioles.

– Du calme ! ordonne Phaéton en tirant sur les guides.

Les ardentes bêtes n'obéissent pas. Elles bondissent de plus belle dans les airs.

– Oooh ! hurle le cavalier en tirant plus fort encore sur les rênes.

Les secousses sont terribles, désordonnées. Très vite l'attelage quitte le sentier habituel.

– Oooh ! Oooh ! s'égosille Phaéton.

Le pauvre s'agrippe comme il peut au char. Déjà, il se sent égaré, il ne sait plus sur quelle rêne tirer, ni où aller. Où est son chemin ? Même s'il le savait, il se sent incapable de diriger les quatre monstres qui avancent maintenant au grand galop.

À demi assis au fond de la carriole céleste, Phaéton est épouvanté. Il n'a pas lâché les rênes mais il ne maîtrise plus rien. Le char s'approche dangereusement à droite d'un groupe d'étoiles. C'est la constellation du Serpent.

La voix du Soleil résonne dans la tête de Phaéton : « Là-haut, tu dois avancer parmi les pièges et les bêtes sauvages. »

Le reptile n'a jamais eu aussi chaud. Voilà qu'il se réveille et ouvre sa gueule. Phaéton hurle d'effroi. Il tire de toutes ses forces sur la rêne gauche et évite de justesse la langue venimeuse de l'ignoble bête.

Entravés dans leur course folle, les chevaux changent brutalement de direction et piquent droit sur le pôle Nord.

Phaéton a l'estomac qui se soulève, il a la nausée. Soudain, bien en contrebas, il distingue la calotte polaire, toute blanche.

Une fois encore, la voix du Soleil résonne dans sa tête : « Évite les pôles... »

Trop tard, la chaleur est trop intense et la banquise, les icebergs fondent en un instant. Le poids et le mouvement de l'eau déséquili-

brent le globe terrestre qui change brutalement d'axe.

Effrayés par cette Terre qui roule sur elle-
même, les chevaux virent en une fraction de
seconde, ils remontent vers le ciel et foncent
sur la constellation du Scorpion.

La bête est là, à quelques mètres de
Phaéton. Elle est en position d'attaque et son
dard, recourbé, est prêt à décharger son noir
venin.

– Au secours ! hurle Phaéton en lâchant les
brides.

Libres de tout frein, Pyrois, Éoiis, Éthon,
Phlégon s'élancent vers les étoiles et redescen-
dent aussitôt vers les abîmes. Ils galopent de
sommets en précipices au gré de leur fougue et
le char brûle tout sur son passage. La Terre est
à feu et à sang. Les montagnes asséchées se
fendent. Les pâturages noircissent. Les arbres
sont calcinés. Les océans s'évaporent. Les animaux souffrent, les hommes aussi. Certains
changent de couleur. Ils deviennent noirs car

leur sang est attiré à la périphérie de leur corps.

La Terre n'en peut plus et implore Jupiter d'intervenir :

– Pourquoi laisses-tu faire ça, Jupiter ? Ai-je mérité un tel châtiment, moi qui suis fertile, moi qui supporte les blessures de la charrue, moi qui fournis au troupeau le feuillage, aux hommes la récolte ?

Jupiter écoute et s'interroge. Doit-il intervenir dans cette histoire qui concerne un autre dieu ? Doit-il se mêler de tout ça ?

– JUPITER ! gronde encore la Terre. AI-JE MÉRITÉ MA RUINE ?

Après cet ultime effort, la Terre se tait. Elle tousse, s'étouffe, se meurt.

Conscient de l'urgence et de la gravité des événements, le grand souverain convoque l'assemblée des dieux et s'adresse au Soleil.

– Que faut-il faire maintenant ? lui demande Jupiter.

Terrifié par la catastrophe qui dévaste l'univers par sa faute, le Soleil reste sans voix.

– Réponds ! s'impatiente Jupiter, ou nous allons devoir agir sans toi.

Le Soleil demeure prostré, silencieux.

Le désastre s'aggravant chaque seconde davantage, les autres dieux décident alors d'anéantir Phaéton.

– Foudroie le char ! suggèrent-ils à Jupiter.

Jupiter brandit le tonnerre et lance la foudre. Le char se disloque. Les chevaux libres s'échappent. Phaéton bascule. Il tombe violemment dans le fleuve Éridan. Les eaux baignent son visage fumant et son corps ravagé par les flammes. Phaéton est mort.

Des nymphes ont assisté à l'effroyable chute de Phaéton. Elles se précipitent autour de lui, le bercent et déposent son corps dans un tombeau. Sur une pierre plate, elles gravent : « Ci-gît Phaéton, qui conduisit le char de son père. S'il ne réussit pas à le gouverner, du moins, il est tombé victime d'une noble audace. »

Le Soleil est pétri de douleur. Le matin suivant, il ne se lève pas. Il n'en a pas le courage et de toute façon son char est détruit, ses chevaux dispersés. Ce jour-là, seuls les incendies qui détruisent encore la Terre éclairent les hommes.

À la souffrance du dieu s'ajoute la colère :

– J'apporte la lumière au monde sans repos depuis l'origine des temps. Je suis las des travaux sans fin et sans récompense ! Jupiter ! appelle soudain le Soleil. Viens à la tête de mes chevaux ardents ! Pendant que tu les dirigeras, au moins, tu n'animeras pas la foudre qui ravit un fils à son père ! Quand tu éprouveras la force de mes chevaux, tu comprendras que la mort était un châtiment immérité pour mon fils qui n'est pas parvenu à les dompter.

Dans le ciel, Jupiter frémit.

– Pardon ! dit-il avec humilité. Tu as raison, je n'aurais pas réussi, moi non plus, à mener ton char...

Rassemblés autour du Soleil endeuillé, les

autres dieux sont eux aussi pris de remords.

– Je t'en supplie, lui demande Jupiter. Réunis tes chevaux et reprends ta mission. L'univers a besoin de ta lumière et de ta chaleur !

Le Soleil a-t-il le choix ? Il retrouve ses animaux égarés aux quatre coins du ciel et les attelle pour un nouveau départ à un char flambant neuf.

Loin de l'Éridan, près du fleuve Pénée, Clymène, la mère de Phaéton, est inconsolable. Elle interpelle Apaphus, l'ami par qui, selon elle, tout est arrivé.

– Il était le fils du Soleil ! Est-ce que tu en doutes encore ?

Apaphus, dévoré par la culpabilité, baisse la tête. Ses yeux sont baignés de larmes. Sa voix étranglée par les sanglots. Non, il ne doute plus.

Le lendemain, il cherche Clymène partout sans la trouver.

– Elle vient de partir ! l'informe-t-on. Elle s'en est allée sans provisions ni bagages pour rendre un dernier hommage à son fils.

Depuis des jours, Clymène marche, désespérée, et quand elle arrive enfin maigre et assoiffée au pied du tombeau aménagé par les nymphes, elle s'agenouille, se recueille avec amour.

– Mère ! entend-elle soudain.

Clymène lève les yeux vers les voix qui viennent d'appeler.

– Mère ! C'est nous, tes quatre filles !

Clymène, éblouie par le Soleil, cligne des yeux et met sa main en visière. Là debout tout près d'elle, il y a ses filles, celles qu'on appelle les Héliades, ces sœurs que Phaéton n'a jamais connues.

– Nous sommes venues pour pleurer à tes côtés ! dit Phaéthuse, l'aînée.

Clymène se lève et serre ses grands enfants contre elle.

– Quelle tragédie ! souffle Lampétie, la cadette.

– Quel malheur ! Quel malheur ! répètent les deux autres.

Toutes les cinq restent là pendant quatre lunes. Elles pleurent, se lamentent, veillent. Elles accompagnent Phaéton dans la mort.

Le cent-treizième jour, Phaéthuse, l'aînée des Héliades, veut se prosterner encore sur la tombe. Elle se plaint :

– Mes pieds sont tout rigides !

Sa cadette, Lampétie, veut l'aider mais elle s'écrie :

– Ma cheville est retenue par une racine !

La troisième crie :

– J'ai des feuilles à la place des cheveux !

La quatrième hurle car déjà ses jambes sont immobilisées dans un tronc.

Lentement et mystérieusement, les quatre sœurs se transforment en peupliers. Clymène, leur pauvre mère, veut les embrasser une dernière fois avant que l'écorce ne les recouvre entièrement.

Elle se presse mais c'est déjà trop tard. Pour

libérer le visage de l'une, elle arrache un jeune rameau.

– Je t'en supplie, mère ! Arrête ! gémit l'Héliade. Arrête ! C'est mon corps que tu déchires !

Une goutte de sang perle le long de la branche et de ses yeux bientôt emprisonnés coulent quelques larmes. Des pleurs qui se transforment en ambre.

Ainsi, les peupliers gardent pour toujours Phaéton, « qui conduisit le char de son père », celui qui ne « réussit pas à le gouverner mais qui est tombé victime d'une noble audace ».

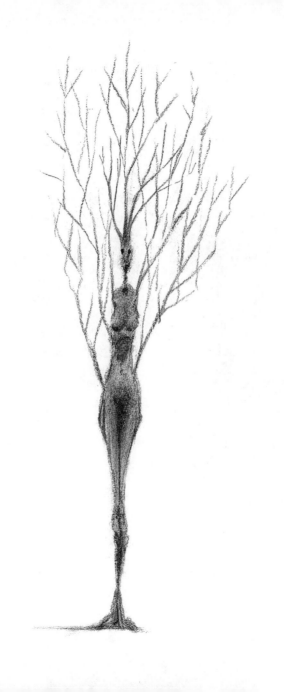

V

CALLISTO

Depuis l'Empyrée, Jupiter regarde la Terre ravagée par le char de Phaéton.

Par milliers, les oiseaux inanimés gisent au pied des arbres calcinés.

– Tout est noir et couvert de cendres ! constate le dieu des dieux avec effroi.

Par milliers, les poissons morts tapissent le lit des rivières asséchées.

– Quelle désolation ! soupire le tout-puissant.

Par milliers, les dépouilles d'hommes,

d'animaux jonchent les plaines et les monts carbonisés.

– Quel désastre ! marmonne-t-il encore. Quelle catastrophe ! Quelle...

– JUPITER ! entend-il soudain. Au lieu de me plaindre et de TE lamenter sur MON sort, aide-moi !

La voix forte et néanmoins lasse de la Terre a fait tressaillir le dieu. Il sort de sa torpeur. Secourir la Terre, soigner ses plaies : il n'y avait pas encore songé !

Sans attendre, Jupiter commande aux fleuves et aux fontaines de couler à nouveau. Il redonne de la sève aux arbres et leur ordonne de bourgeonner.

De la pluie pour nettoyer la suie qui s'est déposée partout. De la boue pour ensevelir les cadavres. Une petite brise tiède pour disperser le pollen et les graines. Des pierres pour reconstruire le lit des rivières...

Comme un jardinier plein d'attentions pour son potager, Jupiter s'affaire. Et il se réjouit, car de jour en jour la Terre respire mieux. Elle retrouve peu à peu ses couleurs, sa vie, sa fécondité.

Un matin, alors qu'il constate avec plaisir le retour d'une belle neige blanche sur un haut sommet, son regard est attiré en contrebas, dans la vallée, par une fumée qui s'échappe de la forêt.

Aussitôt, Jupiter se méfie. Depuis le terrible incendie provoqué par Phaéton, il redoute le feu et ses émanations.

Inquiet, il écarte la cime des arbres et découvre... paisiblement assise au pied d'un chêne, une nymphe qui fait dorer une cuisse de sanglier au-dessus de quelques braises. C'est Callisto, une chasseresse.

Soudain Jupiter, qui s'est entièrement con-sacré à la convalescence de la Terre pendant plusieurs semaines, frissonne. Il se sent envahi par une émotion qu'il n'avait pas éprouvée, lui semble-t-il, depuis longtemps : il est en train de tomber amoureux.

– Comme elle est ravissante ! songe le dieu des dieux.

Il l'observe avec convoitise. Une seule agrafe ferme sa tunique, un simple bandeau retient sa chevelure emmêlée.

– Quelle mignonne sauvageonne ! chuchote Jupiter.

Il ne se lasse pas de la regarder. Ses gestes sont élégants, lents et posés. Cette sérénité assortie d'une grâce naturelle séduit Jupiter plus que tout.

– Bon appétit, ma belle ! lui dit-il à voix basse.

Il ne la quitte plus des yeux.

Après son repas, Callisto bâille, s'étire et s'installe sur un tapis de mousse. Son arc est posé près d'elle et son carquois lui sert d'oreiller. Elle s'assoupit.

Le dieu aimerait tant être à ses côtés ! Il repense à Io et à la jalousie de Junon, son épouse céleste. Il s'assombrit un instant, mais ses scrupules ne durent pas longtemps :

– Junon n'en saura rien. De toute façon, quoi que je fasse, elle me querelle !

Sa décision est prise, il se métamorphose en Diane, la chasseresse des chasseresses, et apparaît auprès de Callisto.

– Oh bonjour ! fait « Diane » en prenant un air étonné. Je te dérange, tu dormais ?

– Je réfléchissais ! répond Callisto.

Puis, en reconnaissant la déesse, elle se lève et s'exclame :

– Oh Diane ! Quelle surprise... Je rêvais de te rencontrer seule sans les autres nymphes. Tu sais, je t'admire plus que Jupiter !

« Diane » éclate de rire, enfin plus exactement, Jupiter s'amuse d'être préféré à lui-même.

– Sur quels sommets as-tu chassé ces jours derniers ? demande « Diane ».

Callisto s'apprête à répondre, à parler de ce sentier qu'elle a découvert le matin même et qui l'a menée à une horde de sangliers lorsque « Diane » s'approche et la serre entre ses bras.

Callisto est étonnée. Diane lui témoigne son amitié de manière bien familière ! Mais après tout, être enlacée ainsi par la plus grande des chasseresses est un honneur !

Cependant, dans l'étreinte, « Diane » se révèle avoir un corps et une force d'homme... Callisto se débat, mais le combat est inégal. Celui qui maintenant l'embrasse est très puissant. Elle hurle mais la forêt engloutit ses appels. Elle griffe, elle mord, mais c'est à peine si Jupiter sent ses ongles et ses incisives s'enfoncer dans sa peau. Le roi des dieux malmène Callisto avant de remonter, vainqueur et satisfait, dans ses hauteurs.

Callisto pleure. Elle serre les poings de rage.

Elle a deviné que c'est Jupiter qui vient ainsi de l'aimer malgré elle.

Rageusement, elle ramasse son carquois, son arc et court plus haut vers les pâturages. Elle ne peut rester un instant de plus dans cette forêt.

– Callisto !

On l'appelle. Elle se retourne effrayée.
C'est encore Diane !

Callisto frémit comme une bête traquée.
Prise de panique, elle veut fuir encore. Mais
soudain, d'autres voix l'appellent à nouveau :

– Callisto ! Callisto ! Où vas-tu ?

Elle se retourne. Les autres nymphes sont
là, aux côtés de la déesse. Callisto comprend
alors qu'il n'y a pas de pièges à redouter et
s'approche d'elles.

– Nous te cherchons partout ! Il ne manque
plus que toi ! As-tu oublié notre rassemble-
ment ?

Callisto se sent honteuse. Elle pense à se
confier mais renonce : que va-t-il se passer si
elle dénonce Jupiter et puis, qui la croira ?
Elle bégaye :

– Excusez-moi. J'ai... j'ai observé des marcassins durant toute la matinée... je n'ai pas
vu le temps passer.

– Mais pourquoi as-tu voulu t'enfuir quand

Diane t'a appelée ? insiste une de ses compagnes.

— J'avais la tête ailleurs ! plaide Callisto. Je ne l'ai pas reconnue tout de suite.

Elle n'ose plus regarder ses camarades. Elle craint que sa rougeur et sa gêne ne trahissent l'outrage qu'elle vient de subir. Elle se sent blessée. Une nymphe, amie de Callisto, lui demande doucement :

— Tu as l'air épuisée ! Que t'est-il arrivé ?

— Rien, rien !... Tout va bien ! affirme Callisto.

Plusieurs mois passent et le ventre de Callisto s'arrondit. Elle attend un enfant de Jupiter. Déjà, elle le sent bouger en elle, mais elle n'ose rien dire. Elle cache son ventre dans ses voiles et profite de ses journées de chasse en solitaire pour se reposer un peu.

Par un après-midi radieux, elle arrive avec Diane et les autres nymphes dans un frais bocage où coule une source claire.

— Baignons-nous ! propose Diane. Nous

sommes à l'abri des regards. Déshabillons-nous et plongeons !

Ses compagnes sont enthousiastes. Elles retirent leur tunique en poussant des cris de joie. Elles touchent du bout de leur pied la surface de l'eau et s'éclaboussent les unes, les autres.

Une seule tarde à les rejoindre. C'est Callisto. Craignant de se dénuder et de dévoiler son état, elle reste là, debout sur la rive.

– Callisto ! Tu rêves ? l'interpelle une de ses camarades.

– Je n'ai pas envie de me baigner ! s'excuse Callisto.

– Mais l'eau est délicieuse ! Allez, viens !

La nymphe remonte sur la berge et dénoue le lien qui retient les voiles de son amie. Ils tombent à terre. Callisto est nue et révèle ses rondeurs au grand jour. Elle pose ses mains sur son ventre et bafouille :

– C'est Ju.... J'ai été...

Les rires se sont tus. Tous les yeux sont posés sur elle.

– Éloigne-toi ! lui ordonne Diane. Ne souille pas cette source sacrée !

Et d'un geste de la main, elle la chasse du groupe.

Callisto ramasse son habit, son arc et son carquois et se retire, seule, vers les pâturages. Sa gorge est serrée. Ses yeux, inondés de larmes. Elle hait Jupiter.

Sur les hauteurs, Junon jubile : depuis longtemps, elle a appris les nouvelles aventures de son époux et elle savoure avec délectation l'exclusion de sa rivale.

Dans les bois, Callisto s'aménage un abri sous un rocher. C'est là qu'un matin, à l'aube, elle donne naissance à un petit garçon : Arcas.

Elle est émerveillée devant ce bébé qu'elle ne souhaitait pourtant pas. Elle lui sourit, elle l'embrasse. Elle le berce, le caresse et, tendrement, elle le met à son sein. Instantanément, Callisto aime Arcas et se sent comblée par sa seule présence.

Hélas, cette maternité heureuse et harmonieuse exaspère Junon. Sa rivale, jeune et belle, rayonne de bonheur. Quelle douloureuse humiliation !

Junon rumine sa vengeance. Une idée cruelle germe bientôt dans son esprit. La déesse prend forme humaine et descend sur Terre. Elle se plante devant Callisto, empoigne ses cheveux et lui lance haineusement :

– Je viens te ravir la beauté qui a charmé mon mari !

Qui est cette furie ? Que lui veut-elle ? Pourquoi cette violence ? Callisto protège Arcas au creux de ses bras et tente de répondre, d'expliquer : il s'agit sans doute d'une erreur, elle n'a rien fait, elle... Mais déjà des poils se hérissent sur son dos. Au bout de ses doigts poussent des griffes, sa bouche si ravissante se déforme en gueule hideuse. Son corps si gracile devient lourd et imposant. Ses membres, puissants et musclés. Callisto se métamorphose en ourse, une ourse terrifiante.

Arcas, écrasé contre son poitrail massif et

poilu, se met à crier. Dans la tourmente, Callisto tente de le rassurer. Elle veut lui dire : « Mon amour, je suis là. Ne crains rien... »

Mais c'est un son rauque et menaçant qui sort de sa bouche. Arcas, terrorisé, hurle de plus belle.

Elle essaie de le bercer, mais elle ne mesure pas sa force. Elle manque de l'étouffer. Elle voudrait le déposer dans un lit de mousse afin qu'il s'endorme, mais ses pattes sont malhabiles et dangereuses. Sans le vouloir, elle finit par griffer son enfant. Les cris d'Arcas redoublent de vigueur.

Comment le consoler ? Comment l'embrasser avec ses longues et tranchantes incisives qui sortent de ses babines.

Soudain, une rage incommensurable monte en elle. Elle se retourne et cherche du regard cette femme qui l'a agressée. Où est-elle ?

Junon, évidemment, a disparu. Depuis sa maison céleste, elle contemple froidement la tragédie qu'elle a provoquée. Tout entière à la jalousie qui la dévore, elle ne ressent ni plaisir ni remords.

Jupiter aussi assiste à la scène. Il pourrait délivrer Callisto, il en aurait le pouvoir. Mais il sait qu'il ne faut pas attiser les colères de son épouse au risque d'aggraver la situation, de la rendre plus pénible encore.

Callisto est retournée auprès de son nouveau-né, elle essaie de rester immobile et silencieuse pour ne plus l'effrayer et elle réfléchit. C'est alors que la phrase, la seule qu'a prononcée son assaillante, lui revient en mémoire : « Je viens te ravir la beauté qui a charmé mon mari ! » Callisto comprend tout : cette cruelle métamorphose est une basse vengeance de Junon. « Je suis depuis plusieurs mois l'innocente victime des dieux », songe-t-elle.

Callisto sait qu'elle ne pourra plus s'occuper d'Arcas. Comment une ourse pourrait-elle élever un bébé ? Elle contemple son fils qui s'est calmé. L'idée de se séparer de lui la déchire. Pourtant...

Pourtant, la nuit venue, elle le prend entre ses bras, aussi délicatement qu'elle le peut, et va le déposer devant l'abri de deux de ses anciennes compagnes.

Puis Callisto se cache pour observer le premier réveil de son petit. Dès l'aube, Arcas pleure, il a faim.

Réveillées en sursaut, les nymphes saisissent aussitôt leur arc, craignant l'attaque d'un animal sauvage. Quand elles découvrent Arcas, elles s'agenouillent autour de lui. L'une d'elles le prend dans ses bras, le berce et demande à l'autre d'apporter du lait de brebis.

Callisto, rassurée, se retire au plus profond de la forêt où elle erre, accablée de douleur.

Les premiers jours, lorsqu'elle croise des animaux sauvages, elle se cache, apeurée, oubliant ce qu'elle est devenue.

Un peu plus tard, alors qu'elle se régale de baies sauvages, elle aperçoit Diane. Tapie dans un fourré, celle-ci chasse au lance-pierres. Callisto l'observe un long moment sans bouger. Des souvenirs défilent dans sa tête : les jeux avec les autres nymphes, leurs randonnées à travers les bois... Mais quand elle repense au jour de la baignade dans la source claire, au jour où elle fut chassée, c'est trop pénible, elle ne peut réprimer un grognement de douleur. Grrrr... La déesse se retourne, en alerte. À la vue de l'ourse, elle blêmit. Elle se lève doucement, recule d'abord à pas lents et puis détale à toute allure.

Régulièrement, Callisto va voir son fils. Dès que la nuit tombe, elle se cache près du campement de ses anciennes compagnes et elle observe Arcas. Il grandit et semble heureux.

Arcas à maintenant quinze ans. Il ignore tout de sa mère et il est devenu un habile chasseur, comme elle l'était autrefois.

Tous les matins, il part seul à travers les bois et s'exerce à débusquer des oiseaux, des marcassins, des chevreuils, des lapins...

Un jour, alors qu'il est dissimulé dans un

taillis, à l'affût, Arcas entend des pas derrière lui. Il se retourne promptement : une ourse est là à quelques mètres de lui. C'est sa mère.

Quand elle aperçoit son fils, Callisto sursaute et s'immobilise.

Il a peur.

Elle le dévisage, elle ne l'a jamais vu de si près.

Il a envie de hurler.

Elle voudrait lui parler.

Il tremble.

Elle le trouve beau.

Très lentement, il porte sa main à son arc.

Callisto trouve que son fils a du sang-froid. Elle balance sa tête de droite à gauche pour lui dire : « Non, ne fais pas ça ! »

Arcas est étonné. Cette ourse a un comportement étrange. Il saisit néanmoins une flèche.

Elle recule.

Avec lenteur, il bande son arc.

Elle recule encore. La flèche est prête à partir. Elle tend ses deux pattes en avant, en signe d'amour vers son fils. « Il va comprendre... je ne lui veux aucun mal... », pense-t-elle.

Mais Arcas interprète mal l'attitude de l'ourse : « Ça y est, elle se prépare à attaquer », et il vise au cœur. Il sait qu'un ours blessé est un ours dangereux. Il doit atteindre le cœur, du premier coup ! Ses mains sont moites. Il n'a pas droit à l'erreur.

Callisto crie :

– Ne tire pas !

Mais c'est un grognement sauvage qui sort de sa gorge.

Tétanisé, Arcas décoche sa flèche.

Jupiter, depuis l'Empyrée, a vu la scène. Non ! Il ne peut pas laisser son fils tuer sa mère !

Il doit faire vite. Le trait meurtrier est encore dans les airs, il file inéluctablement vers le poitrail de Callisto. Jupiter se penche. Ses bras traversent les nuages. De sa main droite, il saisit l'ourse juste à temps. La flèche frôle le poil de Callisto, continue sa course et se plante en vibrant dans le tronc d'un arbre.

De sa main gauche, Jupiter attrape son fils.

Il les soulève, tous les deux, dans les airs.
Que va-t-il faire maintenant ?

– Vous ne serez plus jamais séparés !
déclare Jupiter.

Et au creux de ses paumes, la nymphe et
son fils se métamorphosent en constellations.
Callisto devient la Grande Ourse et Arcas, le
Bouvier. Les voilà maintenant côte à côte,
dans le ciel.

Évidemment, Junon, la femme de Jupiter, a
tout vu. Elle fulmine. Sa rivale brille pour toujours dans la voûte céleste et, une fois de plus,
elle se sent bafouée.

Arcas et Callisto, eux, sont réunis à jamais,
dans le silence étoilé de la nuit.

VI

EUROPE

JUPITER est amoureux. Encore une fois ! Sans cesse, il écarte les nuages pour épier... la gracieuse Europe. Il la suit du regard. Il l'observe avec ravissement.

Europe est d'une nature joyeuse. Elle rit beaucoup. Pour un rien. Elle est fille de roi mais elle n'est pas une princesse comme les autres. Plutôt que de rester au château pour accomplir ses obligations royales, elle préfère les longues promenades au bord de la mer ou dans la campagne. Musarder au soleil, caresser un chien en chantonnant, observer une coccinelle qui gravit la tige d'un coquelicot, voilà ses plus grands bonheurs... Europe savoure chaque moment qui passe. Elle sait prendre son temps parce qu'elle aime profondément la vie. Et c'est pour ça qu'elle plaît à Jupiter.

– Ma belle insouciante ! l'appelle-t-il tout bas depuis ses hauteurs.

Jupiter l'admire ainsi plusieurs jours durant. Mais le dieu des dieux n'est pas un contemplatif !

– Puisqu'elle aime rire et être surprise, je vais lui jouer un tour ! se réjouit-il d'avance.

Il convoque Mercure, son fils.

– Tu as déjà gardé des brebis. N'étais-tu pas berger quand tu as rencontré Argus... ? lui demande-t-il d'un air complice.

Mercure hoche la tête.

– ... Je m'en souviens très bien.

– Saurais-tu mener maintenant un troupeau de vaches et de taureaux ?

Mercure sourit. Il devine à la voix enjouée

de son père que celui-ci mijote encore quelque chose.

– Je crois que je peux y arriver..., répond-il avec ironie. Mais pourquoi ?

Jupiter tire sur un coin de nuage et désigne du doigt les contrées de sa bien-aimée :

– Tu vois ce château, là-bas au bord de la mer ? Tu vas aller faire paître quelques bêtes dans les prairies qui l'entourent. Je ferai partie du voyage !

À peine a-t-il fini sa phrase qu'il se métamorphose en un magnifique taureau blanc. Il mugit puis reprend sa voix pour dire :

– Allons-y, mon cher pâtre, je suis prêt !

Mercure, lui, se transforme de bonne grâce en modeste vacher. Il rassemble un troupeau de fortune et arrive au pays d'Europe...

« Jupiter » est un taureau superbe. Blanc comme neige, musclé, altier, vigoureux. Ses cornes sont petites et nacrées. Ses poils sont soyeux, son pelage, extrêmement doux.

Lors d'une de ses escapades, Europe remarque tout de suite l'animal derrière la clôture : contrairement aux autres taureaux, celui-là n'a pas l'air de rechercher le combat. Une expression de paix et de douceur règne sur sa face. La princesse l'observe de loin assez longuement : son comportement l'étonne, sa splendeur l'attire.

Le lendemain matin, elle revient flâner dans les parages et s'approche de la barrière. « Jupiter », lui, s'efforce de demeurer à distance et de rester calme. Surtout pas de meuglement, pas de mouvements brusques.

– Cet animal est étrangement paisible ! remarque Europe en s'adressant au vacher.

– Il a toujours été comme ça, Votre Altesse ! assure Mercure en riant sous cape.

– Son allure et sa robe sont splendides...

– Vous pouvez le toucher, si vous le souhaitez ! propose Mercure. Il ne vous fera aucun mal.

Puis il appelle le taureau :

– Viens là, toi !

« Jupiter » s'avance avec prestance.

Europe est tentée de passer la main dans la toison de « Jupiter » mais elle n'ose pas. L'animal est très impressionnant.

L'après-midi même, elle réapparaît derrière la barrière. Elle est accompagnée de plusieurs jeunes filles et, ensemble, elles admirent l'animal. « Jupiter » broute tranquillement, non loin d'elles, bien certain au fond de lui-même de séduire la princesse. Europe le complimente :

– Que tu es beau, mon ami !

« Jupiter » ne répond pas.

– Oui, tu es magnifique ! reprennent les filles en chœur.

Europe coupe une poignée d'herbe grasse et la tend au taureau au-dessus de la barrière :

– Viens ! l'invite-t-elle.

« Jupiter » jubile. Il s'avance lentement. Puis, en veillant à ne surtout pas mordre celle qu'il l'aime, il mange dans sa main.

Europe sourit.

Ses amies tendent des feuillages elles aussi, mais « Jupiter » réserve ses faveurs à la princesse.

– C'est toi qu'il préfère ! protestent-elles.

– C'est normal ! plaisante Europe. C'est moi la plus jo... Oh ! regardez ! Il me lèche la main !

« Jupiter » lape ses petits doigts avec précaution et tendresse. Elle est surprise. Elle regarde ses compagnes puis, toutes ensemble, elles éclatent de rire.

Sous son apparence bovine, Jupiter est tout ému : la paume de sa belle est douce et parfumée !

– Tu es vraiment curieux ! s'exclame gaiement Europe. Je n'ai jamais vu un taureau comme toi !

« Jupiter » incline la tête quand elle lui parle.

– On dirait qu'il comprend ce que tu lui dis ! s'étonnent les jeunes filles.

Soudain, Europe distingue au bout du chemin des hommes à cheval.

– C'est mon père ! s'écrie-t-elle, et la princesse quitte brusquement le groupe pour courir à la rencontre du roi.

– Au revoir, cher taureau ! lui lance-t-elle en s'éloignant. À bientôt !

Ce brutal abandon contrarie « Jupiter ». Il la regarde partir et meugle longuement dans sa direction.

Le lendemain matin, Europe revient seule. Elle a un énorme bouquet de marguerites des champs entre les bras et fredonne joyeusement une mélodie tout bas. Dès qu'il l'aperçoit, « Jupiter » se sent lui aussi d'excellente humeur. Il a envie de batifoler et se met à cabrioler dans le pré avec fantaisie. Il lève une patte, puis l'autre. Il semble danser ! Il balance sa tête, il se roule sur le dos.

Mercure suit la scène de loin et rit de bon cœur. Son père en fait un peu beaucoup. Comme d'habitude !

Europe, elle, est sidérée. Elle se frotte les yeux, elle se dit qu'elle est mal réveillée, qu'elle rêve ! Elle bégaie :

– Tu n'as pas un comportement de taureau.

« Jupiter » se calme soudain. Europe ne doit pas deviner trop vite. Il s'approche de l'échalier qui les sépare et mugit le plus doucement qu'il peut.

– Tu veux que je te caresse, n'est-ce pas ? demande la princesse, encore déconcertée.

– Meu-euh ! module doucement le taureau.

Sous son apparence animale, Jupiter rit de lui-même. Europe effleure son pelage soyeux entre les deux oreilles.

– Comme tu es doux !

Elle enfonce ses doigts dans la toison avec délices, puis lui vient une idée saugrenue : elle tire quelques fleurs de son bouquet, tresse rapidement une guirlande qu'elle dépose entre les cornes de l'animal. « Jupiter », béat, se laisse faire.

– Tu es beau comme un dieu ! s'exclame-t-elle, réjouie.

Puis sans plus se soucier du danger, elle enjambe la barrière et, debout près du taureau, elle le caresse. Sa main parcourt lentement les reliefs de son corps.

« Jupiter » exulte. Europe gratte son ventre, son cou et son poitrail.

– Tu ronronnes comme un chat ! remarque-t-elle, surprise.

N'y tenant plus, il s'allonge à ses pieds.

– Décidément, tu es un drôle de taureau ! répète-t-elle en s'agenouillant à son côté.

Le reste du troupeau reste à distance mais Europe s'inquiète soudain : et si les autres bêtes l'assiégeaient et la chargeaient ? Aussitôt, elle cherche du regard le pâtre. Mercure lui sourit et lui adresse un signe amical de la main.

« S'il y avait un risque quelconque, il me le signalerait », pense la princesse en reprenant ses jeux avec le taureau blanc.

Elle enlace son cou et pose sa tête sur sa crinière. Elle sent son poil, il exhale un arôme subtilement délicieux.

« Jupiter » semble serein et tranquille, mais ce n'est qu'une apparence. À l'intérieur, il bout d'impatience : « Il faut qu'elle s'asseye sur mon dos ! » espère-t-il tout bas.

Mais Europe prend son temps. Elle le regarde droit dans les yeux, observe la corne de ses sabots ou la découpe de ses oreilles.

« Tu peux me regarder sous toutes les coutures ! Je suis PARFAIT ! lui dit le dieu des dieux en pensée. Mais maintenant, je t'en supplie, chevauche-moi et partons en promenade tous les deux ! »

A-t-elle entendu l'incitation divine ? Europe se lève soudainement, elle vient d'avoir une idée :

– Accepterais-tu que je m'asseye sur toi ?

« Jupiter » dodeline de sa grosse tête.

Timidement, elle s'installe en amazone. Le dieu se lève le plus délicatement possible. Europe tient solidement d'une main une de ses cornes fleuries, et de l'autre, elle flatte sa croupe.

« Jupiter » fait quelques pas. Europe rit aux éclats. Elle est heureuse, ravie de se trouver dans cette situation insolite et cocasse.

Le taureau marche lentement. Un pas, puis deux, puis trois... Il s'éloigne tranquillement du troupeau.

– Merci pour la promenade ! s'écrie Europe. Maintenant, ramène-moi là-bas, auprès de ton gardien !

Mais il n'en est pas question. Déjà, « Jupiter » trotte plus rapidement, il prend son élan et, d'un bond puissant, il s'élève au-dessus de la barrière de bois avec élégance.

– Oooh ! s'exclame la cavalière, stupéfaite. Que fais-tu ?

« Jupiter », cette fois, ne cherche plus à rassurer sa belle. Il galope librement et s'engage sur un sentier sablonneux qui rejoint la plage. Il perçoit Europe malgré sa légèreté. Il aime ce contact. Europe ne sait plus si elle doit rire ou avoir peur.

« Jupiter » entre dans la mer. Les vagues éclaboussent les pieds et les jambes d'Europe. Elle s'écrie :

– Tu veux prendre un bain ? C'est une excellente idée, mais regarde, je suis tout habillée !

« Jupiter » n'écoute pas. Il avance. Bientôt, il n'a plus pied.

– Retournons sur la plage ! implore alors Europe, la voix brisée par l'inquiétude.

Le taureau nage avec brio et s'écarte de plus en plus du rivage.

Maintenant, ils naviguent en pleine mer.

– Rentrons ! supplie-t-elle. Où m'emmènes-tu ?... Allons, sois raisonnable !

En plein désarroi, elle hurle :

– Mais enfin, QUI ES-TU ?

« Jupiter » ne répond pas, il poursuit sa traversée. Il pense avec délectation à l'enlèvement qu'il vient d'accomplir : il le trouve particulièrement réussi !

Au loin se dessinent déjà les contours d'une île. Europe sur son dos s'agite, troublée.

« Ne crains rien, ma belle ! pense Jupiter pour lui-même. Nous sommes arrivés. Voilà la plage. Tiens, mes sabots effleurent le fond ! »

Elle ne l'entend pas.

Et il sort de l'eau en quittant progressivement sa toison blanche. Celle-ci se transforme
en écume, emportée par les flots.

Europe est muette de stupeur. Elle ne rit
plus, ni ne pleure.

Incapable de maîtriser les soubresauts de
son cœur et de démêler les sentiments qui la
submergent, elle suit sans résistance le bel
homme qui vient d'apparaître à ses côtés.

Jupiter s'arrête là où les vagues viennent
mourir sur le sable et regarde Europe droit
dans les yeux. Il l'embrasse avec fougue et elle
s'abandonne à ses baisers. Il promène longuement sa main dans ses cheveux humides et
salés, la soulève dans ses bras, et l'emmène
plus loin, là-bas, à l'ombre des pins. Puis il
l'enlace avec passion. Elle se laisse faire.

Malgré le désordre de ses pensées, Europe
sait qui l'étreint.

VII

ACTÉON

– AʀʀÊᴛᴏɴs-ɴᴏᴜs ici, mes amis ! lance
Actéon à ses compagnons. Nos filets et nos
armes sont trempés de sang et le soleil est
arrivé au sommet de sa course. Les heures les
plus chaudes de la journée vont commencer.
Le temps est venu de se reposer !

Les chasseurs accueillent la proposition de
leur maître avec enthousiasme et laissent glisser
leurs lourdes gibecières sur le sol. Ils déposent
également leurs arcs, se débarrassent de leur
carquois et s'installent à l'ombre des arbres.

Actéon a bien choisi l'endroit. Du haut de cette butte couronnée d'un bouquet de cyprès pointus, ils peuvent admirer le paysage de forêts d'épicéas et de collines rocheuses où ils ont chassé toute la matinée.

Tout en se restaurant et en buvant le vin emporté dans des gourdes, ils commentent leurs exploits du matin...

L'un parle du sanglier traqué pendant deux longues heures :

– Quelle bête puissante ! J'ai bien cru qu'il allait éventrer notre Mélampus ! Heureusement que nos chiens sont les meilleurs de la contrée !

Mélampus en entendant son nom dresse l'oreille. Il est là, allongé au milieu de la meute, du sang frais brille encore sur son museau.

– Agré aussi a été superbe ! renchérit un autre chasseur. C'est lui qui a débusqué la biche dans le sous-bois. On peut dire qu'il a du flair, celui-là !

Agré répond par un aboiement joyeux.

Actéon sourit. Lui aussi contemple les

chiens : voici Napé issu d'un loup, Pérémis qui gardait auparavant les troupeaux, Harpyia et ses deux petits, Ladon aux flancs maigres, Leucon au poil de neige. Et voilà encore Asbolos au poil d'ébène, Aello robuste et infatigable, Lachné au corps hirsute... Ils sont nombreux, une trentaine, mais il les connaît tous, il les aime tous. Et souvent, il les observe. Aujourd'hui, il ne peut détacher les yeux de leurs crocs brillants. Ces mêmes crocs qui tout à l'heure déchiraient sans merci la chair des lièvres et des biches. Entre les canines acérées pendent des langues frémissantes. On dirait de fins morceaux de viande rouge. Régulièrement, les chiens se lèchent les babines. Peut-être se souviennent-ils, avec plaisir, du goût du sang d'une de leurs victimes du matin... Et leurs yeux agrandis par la terreur, les revoient-ils aussi ? Et leurs plaintes lamentables à l'instant de la curée, les entendent-ils encore ? Actéon, lui, n'oublie pas. Quel instinct pousse ces molosses impitoyables à traquer, sans cesse, les paisibles animaux de la forêt !?

Actéon se lève, soudain troublé par ces pensées. Quoi ! Lui le chasseur renommé, le pisteur infaillible, le meilleur dresseur de chiens, le voilà en train de se prendre de pitié pour les proies qu'il chasse tous les jours avec tant d'ardeur !

« C'est la nature qui est cruelle ! Pas moi, ni mes chiens, se dit-il. C'est dans l'ordre du monde que le plus fort dévore le plus faible. »

Et lui, il est justement parmi les plus forts dans le clan des plus forts. Alors pourquoi ces questions saugrenues, pourquoi ces doutes tout à coup... ?

Actéon fait quelques pas. Le soleil est maintenant brûlant et la lumière sur les rochers, aveuglante. Il a besoin d'être seul.

– Je reviens dans peu de temps, à bientôt ! annonce-t-il à sa troupe.

Actéon descend la colline. Il a envie de retrouver la forêt, le crissement des aiguilles de pin, l'odeur de la résine, le chant des oiseaux. En marchant, il retrouve son calme, il se sent de nouveau en accord avec lui-même. La forêt est son domaine. Le monde des bois lui appartient. Il sourit car il vient d'entendre un léger murmure : un ruisseau sans doute, peut-être même une cascade. L'idée de se baigner et de se rafraîchir pour chasser définitivement les étranges pensées qui tout à l'heure l'ont envahi le réjouit d'avance. Il imagine déjà l'eau fraîche sur sa peau et il frémit. C'est curieux comme aujourd'hui ses sensations sont exacerbées. Tout ce qu'il voit, hume, touche, entend... le remplit d'émotion et de sentiments confus.

Actéon aimerait s'approcher de l'eau, mais la végétation devient plus dense. Il est obligé de se glisser entre les buissons, de s'incliner sous les branches basses. À travers la verdure, il distingue les ondes qui scintillent. Il presse le pas. Une pousse de rosier sauvage s'accroche à lui et écorche sa peau. Il détache les épines une à une et lèche le sang sur son bras. Furtivement, l'image de ses chiens lui revient à l'esprit. Il avance encore.

Écartant un dernier rideau de feuillage, il découvre tout à coup un décor féerique, une trouée au milieu des taillis et des fourrés, cachée aux yeux de tous. Lui qui connaît la forêt par cœur, jamais il n'avait vu cet endroit. À ses pieds s'étend un large bassin d'eau claire, entouré d'une bordure de gazon. De l'autre côté s'élève un rocher moussu surplombant une grotte. Tout autour, des clématites laissent pendre leurs lianes et se reflètent dans l'eau. Sur le côté droit du rocher, à mi-hauteur, une petite cascade s'égoutte en pluie légère.

Actéon, émerveillé, contemple sa découverte. Il en oublie de se baigner. Soudain, dans le murmure de l'eau, il croit entendre des voix.

Un groupe de femmes apparaît, de l'autre côté du bassin. Ce sont des nymphes... Parvenues au bord de l'eau, elles s'écartent et se retournent, comme si quelqu'un les suivait.

Et voici qu'Elle s'avance. Actéon l'a reconnue aussitôt :

– Diane, déesse de la chasse, murmure-t-il. Diane, déesse de la chasteté.

Tandis qu'il demeure immobile sur la berge, fasciné, Diane tend son javelot, son arc et son carquois à sa plus proche voisine.

Une autre nymphe détache une agrafe sur l'épaule de la déesse. Ses voiles tombent sur le gazon. Aussitôt, une troisième compagne les ramasse avec délicatesse. Elle les plie et les garde entre ses bras.

Actéon est ébloui, tout autant par la silencieuse chorégraphie qui s'offre à son regard que par la beauté de la déesse dénudée.

– Elles ne se parlent pas ! réalise-t-il, ébahi.

Une quatrième nymphe dénoue maintenant les souliers de Diane.

Puis une cinquième rassemble ses cheveux et, d'un geste habile, elle les relève et les noue sur la nuque divine.

– Diane va prendre son bain..., chuchote Actéon pour lui-même.

Toutefois, ce sont cinq nouvelles jeunes filles, jusqu'à présent restées en retrait, qui se mouillent les premières. Elles tiennent à la main des urnes. Elles s'arrêtent quand l'eau leur entoure les hanches et remplissent les vases.

Enfin, Diane s'avance. Elle fend le fil de l'onde avec une grâce souveraine. Lentement, elle rejoint ses nymphes et se place au milieu d'elles.

Commence alors un harmonieux ballet : à tour de rôle, chaque jeune fille verse de l'eau sur les épaules, les seins et le dos de Diane.

Actéon ne songe ni à partir ni à se cacher. Il reste là, figé, ébloui comme dans un rêve.

Mais soudain, le rêve bascule dans le cauchemar. La nymphe qui veille sur les sandales de Diane aperçoit le chasseur. Elle se met à hurler pour donner l'alerte. Son cri est particulier, strident et rythmé par de subtiles modulations. Actéon se bouche les oreilles. Il voit l'ensemble des nymphes se précipiter autour de Diane.

« Le ballet est déréglé », pense-t-il.

Avec leur corps, les nymphes cherchent à former un paravent pour cacher Diane qui les dépasse toutes d'une tête. Et l'on peut voir son visage se colorer de pourpre. Diane, la chaste, rougit d'avoir été vue nue par un homme.

Des yeux, elle cherche son arc et ses flèches, mais ceux-ci sont restés sur la berge. Trop loin. Alors, du plat de la main, elle gifle la surface de l'étang. Une puissante gerbe d'eau traverse l'espace en direction d'Actéon et s'abat sur lui avec une précision inattendue. En un instant, Actéon est trempé. Puis la voix de la déesse s'élève, cinglante :

– Va maintenant ! Va raconter que tu as vu Diane sans voile. Si tu y parviens, je t'en donne la permission !

Elle n'ajoute rien à cette étrange menace,

mais les nymphes autour d'elle en comprennent immédiatement le sens, en voyant le visage ruisselant d'Actéon se métamorphoser. Sur son front grandissent les bois superbes d'un cerf. Sa bouche se transforme en un mufle humide. Puis c'est tout le corps qui se couvre de fourrure brune tandis que les mains et les pieds se changent en sabots.

« Actéon » prend la fuite. Le fourré qu'il avait eu du mal à traverser tout à l'heure fléchit sous la puissance de son poitrail.

« Actéon » s'étonne de sa rapidité. Jamais il n'avait vu le paysage défiler aussi vite ! Il sent qu'il a changé d'apparence mais il ne parvient pas à deviner à quoi il ressemble maintenant. Pendant sa course, il découvre ses pattes avant. Il arrive maintenant au bord d'une rivière. L'instinct de l'animal qu'il est devenu l'incite à se désaltérer, la conscience de l'homme qu'il était le pousse à regarder son image dans l'eau. Il se penche et crie :

– Nooon !

Mais c'est un long brame qui sort de sa gorge.

Ses larmes coulent sur une face qui n'est plus la sienne.

Que doit-il faire maintenant ? Rentrer chez lui, dans sa demeure, ou bien se cacher dans la forêt ?

Soudain, il entend des aboiements, deux de ses chiens surgissent au détour du sentier. Il les appelle :

– Agré ! Ichnobates ! Que faites-vous là ?

Son brame énerve les deux bêtes. Elles aboient de plus belle.

« Actéon » tente à nouveau de parler :

– C'est moi, votre maître ! Je suis devenu un cerf, mais... servez-vous de votre flair ! Vous devriez pouvoir reconnaître mon odeur !

Les cris inarticulés d'« Actéon » excitent les deux chiens qui courent autour de lui, en montrant leurs crocs pointus. Et voilà le reste de la meute qui arrive, rapide comme le vent.

« Actéon » bondit. Il ne lui reste que la

fuite. Alors qu'il s'élance, affolé, il cherche dans sa mémoire le souvenir d'un animal, d'un seul qui ait réussi à échapper à ses chiens. Il ne trouve pas : ses bêtes sont trop nombreuses, trop promptes, trop féroces. Qui peut le savoir mieux que lui : il les a choisies pour cela, dressées, entraînées, jour après jour. La meute est à quelques pas derrière lui. Il reconnaît l'aboiement rauque de Pamphagos. Il accélère mais Lyciscé, vif comme l'éclair, l'a déjà rattrapé. Il ne le mordra pas, il le sait, mais il va essayer de le rabattre. « Actéon » change brutalement de direction. C'est maintenant le fougueux Hylé, blessé naguère par un sanglier, qui se tient sur sa droite ; Hylé est frondeur, il passe et repasse devant lui pour le faire tomber.

Le cœur d'« Actéon » s'emballe : il en est sûr à présent, il n'a aucune chance de s'en sortir ! Il vire de nouveau, en donnant un violent coup de sabot à Hylé, mais se trouve face à face avec Mélampus, Dorcée, Oribasos,

Nébrophonos. « Actéon » est encerclé. La terreur monte en lui.

Mélanchétès lui donne dans le dos le premier coup de dents. Thérodamas, le second. Aello, le troisième. Orésitrophos s'accroche à son épaule. Lélaps, Harpyia, Ptérélas lui déchirent les flancs.

Chaque morsure, chaque coup de croc dans sa chair est une douleur inouïe. « Actéon » hurle. Les chiens s'acharnent, le sang les rend fous. Ils redoublent d'agressivité. Le corps d'« Actéon » tout entier n'est plus que souffrance. Plusieurs fois, il perd connaissance : il ne voit, n'entend, ne sent plus rien. Plusieurs fois, il revient à lui et reconnaît ses bourreaux : ses propres chiens qu'il aime tant, Domas, Canaché, Sticté, Tigris, Alcé, Théron, Thoiis, Harpalos, Mélanée, Labros et Agriodos... Ils sont tous là qui le déchirent.

Bientôt, il ne reste plus de place sur son corps pour de nouvelles blessures. « Actéon » gémit et si sa voix n'est plus celle d'un homme,

ce n'est pas non plus tout à fait celle d'un cerf.
Il tourne de tous côtés sa face muette.

Ses camarades arrivent.

– Holà ! crie l'un d'eux pour rappeler les
bêtes. Du calme !

– On leur a demandé de ramener Actéon et
ils étripent un cerf ! note un autre, en riant.

Actéon tourne la tête quand il entend son
nom.

– Si notre maître était là, il serait fier d'eux !
La prise est belle.

– Mais je suis là ! tente d'articuler
« Actéon » dans un ultime brame.

Cependant, il sent déjà les mains de ses
compagnons attacher ses pattes, pour le transporter, comme il l'a fait lui-même si souvent
avec d'autres animaux.

– Rentrons, dit un chasseur. Notre maître
nous retrouvera au château !

C'est la tête en bas, suspendu au tronc d'un
jeune arbre, qu'Actéon retrouve sa demeure.
Celui qui a vu Diane nue est mort.

VIII

ÉCHO ET NARCISSE

Les yeux bandés, Jupiter joue à colin-maillard avec des nymphes ! Il tâtonne dans le vide en riant :

– Où êtes-vous, mes mignonnes ?

Vêtues de simples voiles, coiffées de couronnes de fleurs, elles papillonnent autour de lui joyeusement.

Non loin de là, Écho est en train de s'entretenir avec Junon, l'épouse céleste du dieu des dieux :

– Mes salutations, chère déesse de l'Empyrée ! C'est toujours un plaisir de vous rencontrer... en ces contrées ! Avez-vous senti ce doux parfum de musc et de framboise qui embaume la forêt ?

Junon l'écoute, amusée. La nymphe continue son babillage :

– J'ai rêvé cette nuit que tous les dieux se donnaient la main et qu'ils sillonnaient la Terre en farandole. C'était un spectacle très divertissant ! Cupidon donnait la main à Vénus et à Apollon...

Écho est la reine des bavardes. Il faut dire qu'elle a du talent pour jouer avec les mots, raconter... Elle sait être tour à tour drôle, intrigante, surprenante, émouvante. Toujours à l'affût des nouvelles, elle possède l'art de les enjoliver. Elle brode et, même si ses interlocuteurs devinent souvent qu'elle invente bien plus qu'elle ne raconte, ils ne lui en tiennent jamais rigueur. Au contraire, ils sont charmés par son imagination espiègle, réjouis par son esprit agile.

C'est donc bien volontiers qu'Écho a

accepté de rendre service à Jupiter en retenant l'attention de Junon avec de longues conversations pour éviter qu'elle ne découvre son mari en train de batifoler avec les nymphes !

– Avez-vous vu mon époux ? demande Junon très vite entre deux envolées de mots.

– Jupiter ? reprend la nymphe. J'aimerais tant lui parler ! Hélas, trois fois hélas, je ne l'ai jamais vu ! Si vous pouviez à l'occasion d'une de vos promenades me le présenter. Cela me ravirait.

Ainsi, à chaque fois que Jupiter folâtre avec les nymphes, Écho, la volubile, est chargée d'accaparer Junon, de la captiver le plus longtemps possible avec un brillant et intarissable discours. Mais la déesse ne restera pas dupe très longtemps...

Un triste jour, elle arrive furieuse devant Écho et, avant que celle-ci n'ait le temps d'entamer un remarquable monologue, elle crie :

– Ta langue si habile m'a trahie !

Puis, utilisant la formule d'Écho, elle continue d'un ton ironique :

– Hélas, trois fois hélas ! Tu ne feras désormais de ta voix qu'un bref usage !

Le châtiment tombe comme un couperet. Écho répète malgré elle :

– ... bref usage !

– Adieu ! s'écrie la déesse, triomphante.

– ... dieu... reprend la nymphe.

Écho se jette aux pieds de Junon, elle veut implorer son pardon mais... aucun son ne sort de sa gorge !

L'épouse de Jupiter se moque méchamment de sa victime :

– Ma pauvre Écho ! Et oui, tu ne parleras plus la première, plus jamais !

– ... jamais ! dit la nymphe dont les yeux s'emplissent de larmes.

– Désormais tu pourras uniquement répéter les derniers mots que tu auras entendus !

– ... entendus..., reprend la nymphe en sanglotant.

Plus tard, au hasard d'un sous-bois, Écho aperçoit un jeune homme qui chasse seul. C'est Narcisse. Elle est saisie par sa beauté. Ses traits sont fins, ses gestes élégants...

Ah, si elle pouvait encore parler librement comme autrefois, tout serait plus facile ! Elle le devancerait sur son chemin, ferait semblant de cueillir des fleurs et, au moment où il la croiserait, elle engagerait la conversation comme elle savait le faire mieux que quiconque avant la terrible vengeance de Junon. Elle en est sûre, elle aurait réussi à le charmer, à le faire sourire avec une anecdote, à l'émouvoir avec une histoire joliment racontée, à le faire parler de lui-même. À le séduire peut-être...

Comme elle ne peut plus s'exprimer, elle le suit en se cachant. Elle l'observe, le dévore des yeux. Elle est fascinée par sa beauté.

Toute une journée, elle s'attache ainsi aux pas du jeune homme et plus elle le regarde, plus son cœur s'embrase.

Lorsque le soir arrive, Écho est follement amoureuse de lui.

Au point qu'elle s'approche plus près encore. Si près qu'il sent sa présence. Plusieurs fois, il s'arrête soudainement et se retourne en scrutant les bois autour de lui. Dans le jour qui tombe, il ne voit personne. Alors il s'écrie :

– Y a-t-il quelqu'un derrière moi ?

– ... moi ! répète Écho qui enfin peut parler, mais si brièvement !

Narcisse plisse les yeux mais ne distingue aucune silhouette sous les arbres.

– Viens ! crie-t-il.

– ... viens ! reprend Écho.

Le jeune homme se retourne encore et demande, agacé :

– Mais pourquoi me fuis-tu ?

– ... fuis-tu ? lui renvoie Écho.

Narcisse, qui ne comprend rien à ce curieux dialogue, suggère d'un ton amical :

– Allons ! Sors de ta cachette et réunissons-nous !

– ... unissons-nous ! dit Écho.

Emportée par l'élan de ce qu'elle vient de dire, Écho rejoint Narcisse et se jette à son cou avec passion.

Mais ce geste est insupportable pour Narcisse. Il se dégage très vite, repousse la nymphe brutalement et lui lance avec rudesse :

– Retire ces mains qui m'enlacent. Plutôt mourir que de m'abandonner à toi.

Écho qui est tombée à terre murmure, des pleurs dans la voix :

– ... m'abandonner à toi.

Puis elle éclate en sanglots tandis que Narcisse s'éloigne sans un mot. Elle se sent méprisée, honteuse. Impuissante aussi, puisqu'elle est privée de toute communication véritable.

Narcisse a été odieux. Pourtant, Écho l'aime encore. Elle se cache aux confins de la forêt en ne pensant qu'à lui et à lui seul.

Peu à peu, elle perd l'appétit, elle perd le sommeil. Elle maigrit et se dessèche. Bientôt, son sang ne circule plus. La sève se retire d'elle. Il ne lui reste plus que ses os... et sa « voix ».

On dit qu'avec le temps, elle a disparu. Ses os se sont transformés en rochers. Mais sa voix, elle, est restée. Elle continue de répéter dans la montagne les cris des promeneurs et des bergers.

Comme Écho, beaucoup d'autres jeunes filles et même de jeunes hommes ont souffert à cause de Narcisse. Pourquoi déclenche-t-il tant de passions malheureuses ?

Parce que son air lointain trouble et fascine, parce qu'il est beau et inaccessible comme un dieu. Son profil parfait, ses yeux immenses, sa peau étonnamment lisse, ses cheveux blonds, légèrement bouclés, qu'il garde très courts attirent tous les regards. Mais lui paraît ne voir personne. Ses yeux clairs semblent toujours perdus dans une égoïste rêverie, comme s'il attendait de rencontrer un être enfin digne de lui.

Plus d'une fois, des amoureuses éplorées lui ont crié :

– Puisses-tu aimer, toi aussi, sans jamais pouvoir tenir dans tes bras l'être que tu voudrais tant étreindre !

Mais Narcisse poursuit son chemin, indifférent.

Aujourd'hui, il a chassé tout l'après-midi dans la chaleur de l'été. Alors que le soir approche, il parvient au pied d'une source fraîche. Les rochers qui l'entourent forment un bassin dans lequel l'eau s'écoule doucement sans faire naître aucune ride. Dans la clarté crépusculaire, la surface liquide brille comme de l'argent.

Assoiffé, Narcisse se penche pour boire. Il aperçoit alors dans l'eau son visage. Jamais il ne l'a vu si distinctement. La lumière rasante du soleil couchant l'éclaire vivement et son reflet se détache avec une netteté surprenante sur le fond du ciel déjà sombre.

Narcisse reçoit cette image en plein cœur. Lui qui n'a jamais ressenti le moindre sentiment pour l'un de ses semblables, lui qui regardait les autres comme s'ils étaient transparents, soudain se trouve totalement subjugué par son propre reflet.

Sans prendre conscience qu'il se contemple lui-même, il observe passionnément chaque trait de celui qui lui fait face. Les yeux rivés sur le miroir aquatique, il demeure immobile, ébloui par cette beauté parfaite.

La nuit tombe et il s'endort sur place. Il rêve de ce bel inconnu dont il vient de découvrir le visage...

Au matin, penché sur le bord du bassin, il le retrouve dans la délicate lumière de l'aube. Il comprend alors, au fond de lui-même, qu'il est tombé amoureux, éperdument amoureux.

Il ne peut s'empêcher de sourire et – bonheur suprême – celui qu'il aime lui répond par un merveilleux sourire.

Narcisse part alors d'un grand rire joyeux

auquel répond le rire de son ami. Quel entente, quelle complicité immédiate ! À chacun de ses gestes, l'« autre » répond par un signe amical. Narcisse incline la tête, sourit sans fin, tend les bras, tend les lèvres et l'« autre » en fait autant.

Le jeu dure une journée entière, comblant Narcisse de ravissement. Si quelqu'un était venu à passer, il aurait pris le jeune homme pour un fou en observant ses mimiques face au bassin d'eau claire ! Narcisse n'y pense même pas, pour lui son compagnon est réel.

Lorsque la nuit tombe, il n'a pas un instant songé à boire, à se nourrir, ou à se protéger du soleil brûlant. La tête lui tourne, mais cet étourdissement n'est rien à côté du vertige amoureux qui l'emporte.

À la lumière de la lune, il continue d'échanger des regards langoureux avec celui qu'il chérit maintenant passionnément.

Dans la douceur de cette nuit d'été, le désir d'un baiser grandit en lui. Les yeux mi-clos, il

approche ses lèvres de celles si joliment dessi-
nées que l'« autre » lui offre aussi.

Il sent contre sa bouche la fraîcheur de l'eau
et savoure ce contact subtil. Plusieurs fois, il
embrasse avec délicatesse la fragile surface
fluide, il y prend plaisir. Puis brûlant de passion, il s'avance pour un baiser plus appuyé.
Son visage pénètre alors dans l'eau sans rece-
voir le baiser auquel il s'attendait.

Stupéfait, Narcisse se redresse. Il essaye
encore une fois. À nouveau, il se relève,
sidéré, le visage dégoulinant d'eau. Alors, il
tend les bras, il veut toucher de ses mains
l'être qui lui échappe. Mais ses mains plon-
gent dans l'eau sans rien pouvoir saisir.
Narcisse pousse un gémissement d'effroi. Ce
bonheur qui, l'instant d'avant, paraissait infi-
niment proche se révèle soudain inaccessible.
Ce n'est pas possible ! Il plonge et replonge
les mains dans l'eau, brouillant l'image ado-
rée. Il a l'impression de devenir fou. Et il
devient fou !

L'orgueilleux Narcisse qui, il y a deux jours encore, attirait tous les regards sans jamais détourner les siens, le superbe Narcisse qui s'avançait auréolé de sa beauté souveraine est allongé au bord d'un ruisseau, au milieu de la nuit, la gorge pleine de sanglots, frappant l'eau de ses mains avec désespoir, se griffant le visage de rage et déchirant ses vêtements comme un dément.

L'aube le trouve toujours au même endroit, épuisé, affaibli par le manque de nourriture, et murmurant :

– Approche, approche encore... Maintenant, je sais qui tu es ! Toi et moi, nous ne sommes qu'un. Tu es mon image et, en t'aimant, c'est moi que j'aime. Viens, plus rien ne nous séparera... Unissons-nous à jamais...

Le soleil est déjà haut dans le ciel lorsque le corps de Narcisse glisse dans la source et disparaît.

Il a lancé un dernier « Adieu ! » à son image avant de traverser le miroir de l'onde, et une voix faible, lointaine et douloureuse, celle d'Écho, lui répond longuement :

– Adieu-eu-eu !

Bientôt, autour du bassin dans lequel le jeune homme s'est noyé, apparaissent des fleurs blanches jusqu'alors inconnues.

Aujourd'hui encore, on les appelle des narcisses.

IX
PYRAME ET THISBÉ

– JE T'INTERDIS de jouer avec le petit voisin !
Tu entends ? dit le père de Thisbé à Thisbé.

– Je ne veux pas te voir parler à la petite
voisine ou ça ira mal ! dit le père de Pyrame à
Pyrame.

Les deux enfants aimeraient pourtant
s'amuser ensemble ! Ils ont le même âge !
Tous les jours, chacun écoute l'autre. Mais
leurs deux cours sont séparées par un mur de
pierres.

Elle sait quand il fabrique une cabane. Elle

l'entend taper, manipuler des planches, réclamer des vieilles couvertures.

Il sourit quand elle joue à la marchande. Elle incarne tour à tour les clients et la commerçante en changeant sa voix. Elle est drôle !

Quand il jongle, elle voit les petits sacs de sable qui montent dans les airs.

Quand elle nourrit les oiseaux, elle imite leurs chants à merveille et il se dit qu'une fille qui siffle si bien, c'est rare !

Ainsi, sans même se voir ni se parler, Pyrame et Thisbé existent l'un pour l'autre. Ils s'entendent, ils s'épient, ils s'imaginent... Si leurs parents ne se haïssaient pas tant, ils seraient d'excellents amis, c'est sûr.

Un matin, alors que Thisbé fredonne une mélodie, Pyrame se met tout naturellement à chanter avec elle. Ils rient.

Une autre fois, Pyrame s'entraîne à compter. Il écrit avec un bâton sur la terre battue, tout en articulant :

– Trente-deux lionnes plus vingt antilopes...

– ... égalent trente-deux grosses lionnes !

glousse Thisbé, très contente de sa blague.

Il continue joyeusement :

– Euh... Deux pommes plus deux enfants...

– ... égalent...

– Thisbé ! intervient soudain son père avec fermeté. Rentre tout de suite !

« Sans leur histoire idiote de champs et de clôture, je pourrais jouer tranquillement avec Pyrame ! » fulmine Thisbé.

Pyrame partage son avis :

« Après tout, ce n'est pas de ma faute si mon père et ma mère sont brouillés avec les voisins ! »

Et sans se concerter, les enfants décident de continuer à désobéir à leurs parents. Ils ont huit ans, ils sont malicieux et obstinés, et tous les jours ils inventent cent astuces pour s'amuser en catimini.

Plusieurs saisons passent et leurs jeux interdits résistent aux menaces de leurs parents qui régulièrement les surprennent, au découragement de ne jamais se voir, à la lassitude d'être ensemble sans l'être vraiment. Effrontés, ils ont même élaboré un code pour communiquer en présence de leurs parents : ils toussent, ils bâillent, ils chantent, ils sifflent...

Un matin d'avril, Pyrame découvre une brèche dans le mur. Entre les pierres, la terre a disparu sans doute sous l'effet du vent, de la pluie, du gel et du soleil.

Pyrame s'approche de la fente avec intérêt, elle est étroite, irrégulière. Il y colle machinalement son œil, il voit chez Thisbé ! Il voit même Thisbé ! Elle est en train de lire assise sur un banc. Quelle joie ! Il l'appelle.

Très vite, les deux enfants prennent l'habitude de se parler par la fissure. Toujours en cachette, bien sûr ! Ils ont onze ans maintenant et demeurent des heures adossés à la cloison qui les sépare. Thisbé fait semblant de broder et Pyrame de sculpter et dès qu'ils le peuvent, ils se glissent des mots, des dessins. Ils s'échangent aussi leurs goûters. Les galettes de blé de la maman de Thisbé sont plus moelleuses. Celles de la mère de Pyrame, plus sucrées ! Quand ils se quittent, Pyrame glisse une pierre plate dans « leur » fente pour n'éveiller aucun soupçon.

Puis les années s'écoulent ainsi. Ils sont devenus deux grands adolescents et, naturellement, ils sont devenus amoureux l'un de l'autre. Timidement d'abord, puis intensément, passionnément.

Ils se touchent le bout des doigts, ils se regardent, ils se parlent, se murmurent des choses tendres.

Elle lui passe un coin de son voile pour qu'il le respire, il aime son parfum. Il lui offre une mèche de ses cheveux, elle la caresse le soir en s'endormant.

Hélas, leurs deux familles se haïssent toujours et elles n'accepteront jamais qu'ils se marient. Jamais ! Thisbé a même déjà entendu ses parents parler d'un possible époux pour elle.

– J'aimerais te serrer dans mes bras ! chuchote Pyrame.

– J'ai rêvé de toi ! murmure Thisbé.

– Je voudrais pouvoir t'embrasser...

– Je pense à toi tout le temps...

Leur séparation ne fait que fortifier la flamme qui les dévore. Ils s'aiment à la folie.

Un après-midi, n'y tenant plus, il lui dit :

– Ô, ma Thisbé ! Retrouvons-nous ce soir...

– Où ? demande-t-elle, fébrile.

– Je t'attendrai à minuit au pied du « tombeau de Nimus ». C'est un endroit tranquille, bien en retrait du village.

– J'y serai ! promet Thisbé.

– Tu y verras un superbe mûrier blanc. Le premier arrivé attendra l'autre au pied de l'arbuste.

– Nous sommes fous !

– C'est eux qui sont fous ! corrige Pyrame.

La maison est calme. La respiration de son

père est profonde et régulière : il dort. Sa mère aussi. D'un geste déterminé, Thisbé s'enveloppe dans son voile et ouvre la porte avec précaution. Elle sort à pas de loup.

Les rues du village sont vides. Son cœur bat fort à l'intérieur de sa poitrine, sa gorge est nouée, ses mains tremblent mais c'est davantage l'émotion de retrouver Pyrame qui l'étreint que l'angoisse de désobéir à son père.

Elle respire une grande bouffée d'air et s'envole vers son amant.

« Il est peut-être parti avant moi », pense Thisbé.

Elle regarde devant elle et ne le voit pas.

« Ou alors, il me suit ! »

Elle se retourne et scrute les ombres qui dansent dans la nuit. Personne.

Le chemin qui mène à leur rendez-vous est sombre. La brise qui souffle légèrement fait craquer les arbres. Thisbé n'a pas vraiment peur. L'amour lui donne de l'audace.

« Et s'il ne réussissait pas à sortir de chez

lui ? » se dit-elle soudain avec angoisse avant de reprendre confiance : « Il est déjà sous le mûrier. Va ! Il t'attend. »

Thisbé marche plus vite encore. Son cœur est gonflé d'amour comme une grand-voile sous le vent.

Elle se dépêche. Déjà, elle distingue le tombeau là-bas. Pyrame est-il là ? Elle fronce les yeux pour mieux voir mais le lieu semble désert.

Elle a envie d'appeler : « Pyrame ! » mais elle doit rester discrète.

Elle est la première. Thisbé s'installe sur une pierre juste en dessous du mûrier blanc. Ses rameaux sont lourds de fruits.

D'une main légère, elle regonfle ses cheveux aplatis par son foulard, elle se sent belle. Elle fixe le sentier. Dès qu'elle le verra apparaître, elle courra à sa rencontre, elle se jettera dans ses bras et se blottira contre lui. Elle en frémit d'avance.

Elle l'attend mais la crainte s'immisce en elle. Et s'il ne venait pas ? Et si les parents de

Pyrame avaient surpris leur fils ? Et si son propre père s'était rendu compte de son absence ? Ces idées lui traversent l'esprit comme des éclairs. Mais elle se ressaisit :

« Il est en route. Il va arriver. Il t'aime. »

Soudain, elle entend un bruit dans les bosquets. C'est lui ! Il a préféré venir à travers bois, c'est plus discret ! Elle se lève et se retourne, rayonnante. « Aaaah ! »

Thisbé porte ses mains à sa bouche pour étouffer son cri. Elle blêmit. Car ce n'est pas Pyrame qui arrive, c'est une lionne. Elle a la gueule ensanglantée, elle vient sans doute de dévorer une gazelle et elle se dirige droit vers la fontaine qui se trouve là tout près.

Thisbé le sait : un geste de trop risquerait d'attirer l'attention de la bête.

« Elle vient se désaltérer », espère Thisbé.

Elle a raison, la lionne s'arrête devant le bassin et boit à grand trait. Lentement, la jeune fille fait un pas en arrière. Ses jambes flageolent. Ses mains qui tremblent, laissent échapper son voile. Tant pis, elle le laisse là. Elle recule encore, le plus calmement possible, et va se réfugier à l'abri d'un rocher, à plusieurs centaines de mètres de là. Recroquevillée contre la paroi, elle se met à sangloter. L'effroi la paralyse. Elle n'ose plus bouger.

Là-bas, la lionne rôde maintenant avec nonchalance autour du tombeau de Nimus. Elle renifle la pierre sur laquelle Thisbé était assise puis trouve le foulard que la jeune fille a abandonné lors de sa retraite.

Le parfum qu'il exhale l'excite. Le fauve pose sa lourde patte dessus et, avec sa gueule encore toute maculée de sang, le déchire dans un rugissement féroce avant de s'éloigner.

La lionne a quitté le tombeau et voilà que Pyrame arrive... Son père a veillé tard, il a dû attendre avant de s'échapper.

Sur le chemin, il a cueilli à la sauvette une fleur, une seule, et il arrive essoufflé, impatient d'enlacer celle qu'il aime. Il l'appelle à voix basse :

– Thisbé ! Thisbé !

Pas de réponse. Il inspecte la place dans la pénombre et aperçoit juste à ses pieds des traces dans la poussière.

– Un fauve ! souffle-t-il.

Il prend peur. Il regarde autour de lui et... découvre les lambeaux, tâchés de sang, du voile de Thisbé.

Pyrame pâlit. Il en ramasse un morceau et le porte à ses narines. Aucun doute, il sent le parfum de sa bien-aimée, il pue aussi la bête sauvage.

Pyrame croit qu'il va défaillir. Il est épouvanté. Il comprend tout, très vite : Thisbé l'a attendu et s'est laissé surprendre par l'animal affamé.

« C'est de ma faute ! pense-t-il. C'est moi qui l'ai encouragée à venir ici. »

Le cœur brisé, il hurle :

– Lion ! Viens me prendre aussi !

Thisbé, à quelques centaines de mètres de là devrait entendre, mais la brise qui souffle ce soir-là porte la voix de Pyrame dans la direction opposée. Elle ne perçoit rien. Elle attend dans l'angoisse que les oiseaux de nuit recommencent à hululer : signe que la bête sera partie.

Pyrame est accablé.

– Thisbé ! s'effondre-t-il. Mon amour...

Debout au pied du mûrier, il saisit le couteau qu'il porte à sa ceinture et... le retourne contre lui.

– Ma Thisbé ! murmure-t-il, agonisant. Attends-moi, je viens te retrouver dans la mort...

Et pour la rejoindre plus vite encore, il retire l'arme dans un ultime effort. Son sang jaillit de ses entrailles comme l'eau d'une source et arrose le mûrier sous lequel il est allongé. Ses fruits blancs se colorent alors de pourpre...

Quand le hibou a repris son chant nocturne, Thisbé s'extrait de son repaire et revient prudemment vers le lieu du rendez-vous. Elle craint que la lionne surgisse du noir et fonde sur elle. Pour se donner du courage, elle pense à Pyrame. Elle se pressera contre lui, elle lui racontera son aventure et ils riront tous les deux en évoquant les dangers auxquels elle a échappé. Comme elle a hâte de le toucher, de lui parler, de le voir !

Dès qu'elle arrive aux alentours du tombeau, elle appelle à voix basse :

– Pyrame ! Pyrame !

Personne ne répond.

Thisbé est inquiète. Elle a peur de tout. Et s'il avait croisé la lionne ? Et s'il était reparti ?

Elle tressaille et repense soudain à son foulard. Où est-il passé ? Elle regarde autour d'elle et...

– Pyrame !

Elle hurle. Elle vient de le découvrir. Pyrame tient son voile et une fleur entre ses mains. Elle s'agenouille et caresse son visage en pleurant.

Dans un dernier souffle, il balbutie :

– Je... Je voulais... te... sui... vre... dans la mort...

Thisbé crie :

– Pyrame, je te suivrai au-delà de cette vie !

La mort ne nous séparera pas. Puissent les dieux nous laisser à tout jamais dans le même tombeau !

Et sans attendre, elle saisit le poignard de Pyrame et se perce la poitrine.

Jupiter depuis l'Empyrée assiste au drame. Il est bouleversé. Lui qui n'a jamais ressenti un sentiment si tendre, si tenace, si sincère, si... partagé, il reste sans voix.

La nuit suivante, alors que Thisbé repose chez ses parents et Pyrame chez les siens, le dieu des dieux s'immisce dans les pensées des deux pères. Il dit à l'un et à l'autre :

– Tu n'as pas voulu qu'ils se parlent quand ils étaient tous deux vivants. Accepte maintenant qu'ils se taisent l'un à côté de l'autre, dans la même sépulture !

Puis en mémoire de ce rendez-vous manqué, cruel et sanglant, Jupiter commande à toutes les mûres blanches de la Terre de prendre la couleur des sangs mélangés de Pyrame et Thisbé.

x

HERMAPHRODITE

DEPUIS le ciel, Vénus et Mercure contemplent leur fils Hermaphrodite[1]. Assis au bord d'une rivière, le jeune homme répare son arc.

– Il est beau, n'est-ce pas ? s'émerveille la déesse. Ses traits sont fins, son corps est élancé ! As-tu remarqué les quelques poils sur son menton ? As-tu entendu sa voix qui change ? C'est déjà un homme et c'est encore un enfant !

---

1. Dans la mythologie grecque, Mercure s'appelle Hermès et Vénus Aphrodite et ils donnent à leur fils leurs deux prénoms : Hermaphrodite.

Mercure sourit et l'observe à la fois avec tendresse et inquiétude. Il le trouve trop timide, trop réservé, trop solitaire.

– Laisse-lui le temps de mûrir ! plaide Vénus. Nous devrions peut-être lui suggérer de partir en voyage, l'aventure le fortifierait. Qu'en penses-tu ?

– C'est une bonne idée, il me semble prêt pour explorer le monde. Comme tous les adolescents, Hermaphrodite a besoin maintenant de liberté.

Mercure a raison, depuis quelque temps, Hermaphrodite s'ennuie auprès des nymphes qui l'élèvent comme leur propre fils depuis sa naissance. Vénus et Mercure étaient trop occupés pour le garder à leurs côtés.

Au moment où il bande son arc pour le tester, Mercure s'immisce dans ses pensées :

– Si tu suis le courant de la rivière, tu découvriras de nouveaux paysages, de nouvelles contrées, d'autres façons de vivre. C'est le moment pour toi de partir !

Hermaphrodite écoute la petite voix qui parle au fond de lui sans savoir qu'il s'agit de celle de son père. Le voilà qui, à tout juste quinze ans, quitte la forêt qui l'a vu naître. Il longe d'abord les berges du cours d'eau puis s'en éloigne assez rapidement, préférant marcher au hasard de ses pas et de ses envies.

Il arpente des collines, traverse des prairies, va le long des torrents. Il découvre des villes et des villages mais il ne s'y sent pas bien. À la foule, il préfère le calme et la retraite. Aux ruelles, les chemins.

– Comme il est farouche ! constate Mercure qui l'observe régulièrement depuis ses hauteurs.

– C'est un solitaire ! nuance Vénus.

Un jour, Hermaphrodite arrive devant un étang comme il n'en a jamais vu auparavant. Ses eaux sont si claires, si pures qu'on voit parfaitement les galets qui en tapissent le fond. Aucune algue n'altère la transparence de l'onde.

Hermaphrodite a immédiatement envie de se baigner.

« Je vais me déshabiller là-bas, à l'ombre d'un saule ! » décide-t-il, ravi.

Il marche avec délicatesse sur le gazon qui entoure le bassin lorsqu'il entend :

– Comme tu es beau ! Serais-tu un dieu ?

Une nymphe très jolie vient de sortir d'un fourré. Hermaphrodite est surpris.

Elle continue :

– Si tu es un dieu, tu pourrais être Apollon. Es-tu Apollon ?

Hermaphrodite est intimidé. Il fait non de la tête.

– Comme ceux qui t'ont donné le jour doivent être heureux ! s'exclame la nymphe.

Le farouche Hermaphrodite regarde son interlocutrice avec un air désemparé. Qui est-elle ? D'où vient-elle ?

La nymphe poursuit avec assurance et exaltation :

– Mais vois-tu, moi, je crois que c'est celle

que tu aimes qui est la plus chanceuse ! As-tu une fiancée ?

Hermaphrodite est interloqué. Elle renchérit :

– Si tu en as une, donne-moi juste un petit baiser et plus si tu le souhaites !

Il garde le silence sans la quitter de ses yeux inquiets.

– Si tu n'en as pas, choisis-moi. Je partagerai avec joie ta vie et ta couche !

À ces mots, Hermaphrodite rougit. Il ignore ce qu'est l'amour, mais il sent bien que la jeune femme qui se tient devant lui a une attitude déplacée et familière.

La nymphe s'impatiente.

– Embrasse-moi ! s'écrie-t-elle en s'approchant.

Il recule.

Elle avance.

Elle étend ses bras vers son cou.

– Arrête ou je m'en vais ! dit Hermaphrodite sans aucune agressivité mais avec fermeté.

– Mais tu parles ! plaisante-t-elle avant de

déclarer très sérieusement : C'est moi qui vais m'en aller ! Je te délivre de ma présence ! Au revoir !

Puis elle s'éloigne.

Hermaphrodite est soulagé et, dans le ciel, ses parents s'amusent de la scène à laquelle ils viennent d'assister.

La nymphe qui vient de lui parler s'appelle Salmacis. C'est une jeune fille insouciante, extravagante, fantasque. Certains disent même qu'elle est simple d'esprit. Elle vit seule près de l'étang et passe ses journées à folâtrer. Elle aborde les étrangers de passage ou elle paresse au soleil allongée sur un tapis de mousse. Elle coiffe souvent ses longs cheveux avec un peigne de corne. Elle chante, elle cueille des fleurs, des fruits. Elle se regarde aussi dans l'eau, se fait des grimaces et se fait rire toute seule. Et puis elle se baigne, nue, évidemment. Elle nage sous l'eau comme un poisson. Elle se prend pour une sirène.

À chacune de leur visite, ses sœurs nymphes l'encouragent à chasser pour se nourrir :

– Allons, Salmacis, grosse paresseuse ! Prends un javelot, un arc et poursuis les animaux !

– Mes deux pièges à lièvres me suffisent amplement ! répond Salmacis.

– Mais tu passes à côté de tant de plaisirs ! lui opposent les autres. Si tu savais comme c'est grisant de traquer une bête !

– C'est fatigant et cruel aussi !

– Tu es la seule nymphe de la toute la Terre que Diane, la déesse de la chasse, ne connaît pas !

– Mais Cupidon, le dieu de l'amour et du désir, lui, il me connaît ! leur rétorque Salmacis. C'est le principal !

Salmacis a disparu derrière un buisson. Elle s'est retournée une dernière fois vers Hermaphrodite, d'un air espiègle.

« Tu es beau ! Tu me plais ! Je te veux et je t'aurai ! » lui dit-elle en pensée.

Puis elle se cache habilement pour l'épier.

Hermaphrodite est resté près de l'étang, il réfléchit :

« Laissons à cette folle le temps de s'en aller ! »

Se croyant enfin seul, il s'approche de la rive et contemple avec fascination les ondes limpides. D'un orteil, il en frôle la surface. L'eau est exquise, presque chaude !

Il ne résiste pas. Il retire sa tunique. Les yeux de Salmacis scintillent. De le voir ainsi nu embrase son désir.

Hermaphrodite pénètre lentement dans le bassin. L'eau bienfaisante enveloppe tout son corps, il se laisse porter, il est bien.

La nymphe du fond de sa cachette brûle d'impatience. Elle veut un baiser sur-le-champ, une étreinte aussi et une caresse ! Elle surgit de sa futaie en s'écriant :

– Victoire, tu es à moi !

Elle se déshabille en courant, jette frénétiquement ses voiles sur le gazon et plonge dans l'étang. Elle nage sous l'eau avec grâce et aisance comme si elle avait des nageoires pour la propulser. Hermaphrodite a tout juste le temps de la voir venir qu'elle est déjà là. Elle a jailli de l'eau à quelques centimètres de son corps et fond sur lui.

Elle l'enlace vigoureusement. Il se débat. Elle le maintient dans ses bras et lui ravit des baisers. Il a beau se démener, elle réussit à unir leurs lèvres.

Rien ne peut arrêter la nymphe ! Elle lui caresse la poitrine avec ardeur. Il se rebelle mais elle est plus énergique que lui. Elle s'enroule autour de lui comme un lierre qui enserre le tronc d'un arbre. Il cherche à lui échapper. En vain. Il a beau la mordre, la griffer, elle ne relâche pas son étreinte.

– Méchant ! crie-t-elle.

Il lutte encore. Il lui tire les cheveux, la pince.

Elle l'agresse comme un homme, il se défend comme une femme !

Sa volonté est sans faille, elle le menace :

– Puisque tu n'es pas consentant, je ne te lâcherai jamais !

Puis s'adressant aux dieux et plus particulièrement à Cupidon, son dieu préféré, elle crie en direction du ciel azuré :

– Faites que nos corps restent à jamais mêlés !

Les dieux l'entendent. Vénus et Mercure n'ont pas le temps d'intercéder en faveur de leur fils que, déjà, le ventre puis le torse d'Hermaphrodite s'unissent à ceux de Salmacis un peu comme deux rameaux peuvent se souder et grandir ensemble sous une même écorce.

Ils ne sont plus deux. Ne sont pas un non plus. Le mariage de leur chair est étrange : ils ne sont ni homme ni femme, ils sont devenus mi-homme mi-femme. Cet être est à la fois masculin et féminin, viril et doux.

À travers les eaux limpides, Hermaphrodite découvre sa nouvelle apparence. Il souffre. Il en veut à ses parents :

– Pourquoi ne m'avez-vous pas protégé ? hurle-t-il.

Vénus et Mercure sont bouleversés mais ils n'ont vraiment pas eu le temps de réagir.

Dans sa douleur, Hermaphrodite en veut au monde entier. Au lieu de se dire : « Je ne souhaite à personne de vivre ce que je vis », il espère au contraire que certains mortels connaissent le même sort ! Il implore son père et sa mère :

– Faites que tout homme qui sera plongé dans ces eaux ne soit plus qu'homme à moitié !

Vénus et Hermaphrodite s'interrogent du regard. Ce que leur demande Hermaphrodite est monstrueux ! Néanmoins, emplis l'un et l'autre d'un fort sentiment de culpabilité, ils exaucent le vœu d'Hermaphrodite et répandent dans l'étang un poison malfaisant.

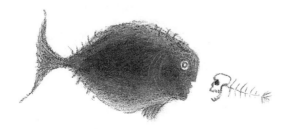

XI

ARACHNÉ

Arachné est une artiste de l'aiguille et du fuseau. Elle tisse des merveilles. Des tapis, des rideaux, des fresques murales, des couvertures, des tuniques... Ses doigts sont agiles et rapides. Ses gestes précis. Ses finitions irréprochables. Arachné a le sens de l'ouvrage bien fait, mais elle a surtout de l'imagination et du goût. Elle associe les couleurs avec inspiration et justesse, compose des dégradés subtils qui réjouissent le regard et invente des motifs surprenants et originaux.

Elle travaille avec son père qui est teinturier. Elle le sollicite souvent :

– Crée de nouvelles couleurs ! Mélange les pigments !

Ou bien, elle lui passe des commandes un peu folles :

– J'ai besoin de dix rouges différents !

Son père, Idmon de Colophon, lui aussi a du génie. Stimulé par sa fille, il s'enferme parfois deux jours durant dans son laboratoire pour chercher de nouvelles nuances, de nouveaux effets. Avec intuition, il dose la pourpre de Phocée, l'ocre de Lydie. Il essaie cent manières de teindre la laine, modifie les temps d'imprégnation, de séchage, joue sur les températures des bains... Idmon de Colophon est un chercheur de couleurs.

Quand il se présente devant sa fille les bras chargés des dix écheveaux qu'elle désirait, il jubile.

– Je savais que tu y arriverais ! le félicitet-elle avant de lui réclamer : De l'or, mainte-

nant ! J'aimerais tant avoir de la laine dorée...
Crois-tu que tu saurais... ?

Pourquoi pas ? Idmon de Colophon sourit
et se retire, déjà absorbé par ce nouveau défi.

L'atelier d'Arachné est connu dans tout le
pays et chaque jour, sans exception, des clients
mais aussi de simples visiteurs viennent la regarder travailler. Les nymphes elles-mêmes quittent parfois leurs bois pour admirer ses toiles.
Arachné se sent honorée par leur présence.
Elle est fière de sa réussite, trop peut-être...

Un jour, une femme lui dit :

– Vous êtes inspirée par les dieux ! Vous êtes
certainement une élève de Pallas, la déesse qui
tisse les plus beaux ouvrages de l'univers ?

Cette réflexion irrite Arachné. Elle répond
sèchement :

– Non madame ! Je me suis formée toute
seule. Je ne dois mon talent et mon habileté à
personne !

Mais bientôt, on dit partout qu'Arachné est la
protégée de Pallas. La rumeur parcourt d'abord

la ville, puis la région et le pays entier. Arachné en prend ombrage :

– C'est faux ! Mon art est le fruit d'innombrables heures de travail ! La déesse ne m'a pas aidée !

Pallas, sur ses hauteurs, entend Arachné. Elle la laisse dire mais n'en pense pas moins :

« Quel orgueil ! Je suis la protectrice et l'inspiratrice de toutes les fileuses ! Elles me doivent respect et reconnaissance. »

Ne supportant plus qu'on résume son savoir-faire à un don du ciel, Arachné déclare un jour à l'une de ses admiratrices :

– Si je tisse maintenant mieux que la déesse, c'est grâce à moi-même et à moi seule !

Une mortelle qui prétend dépasser un dieu ! C'est plus que Pallas ne peut en supporter.

« Elle doit s'excuser ! » enrage la déesse.

Aussitôt, elle prend les traits d'une vieille femme. Ses cheveux blanchissent et forment un maigre chignon, des rides plissent son visage. Courbée en deux, elle entre dans l'atelier d'Arachné en s'aidant d'un bâton. Cette dernière tisse la laine dorée que son père a réussi à inventer pour elle.

« Pallas » l'observe et ne peut s'empêcher d'admirer sa technique.

– Bonjour ! dit l'ancienne. Je ne te dérange pas ?

Toute à son ouvrage, Arachné ne lève même pas la tête.

– Je dois te parler, reprend la femme âgée. On m'a dit que tu prétends supplanter Pallas et que tu renies même sa protection.

Arachné tire rageusement sur son aiguille. Va-t-on enfin la laisser tranquille avec cette histoire ?

– C'est vrai, lance-t-elle effrontément.

– Écoute-moi ! dit la vieille. Tu es incontestablement une bonne ouvrière mais n'aspire pas égaler une déesse ! Demande à Pallas de t'excuser pour ces paroles. Si tu l'implores, je crois qu'elle te pardonnera.

Les mains tremblantes d'Arachné, ses yeux

noirs, son visage blême trahissent sa colère. Elle explose :

– Garde tes discours pour tes filles ou tes brus ! Je suis bien assez sage pour me conseiller moi-même ! Si mes propos ont irrité la susceptibilité de Pallas, qu'elle vienne me le dire ! Qu'elle vienne se mesurer à moi !

– Me voici ! s'écrie alors la déesse en quittant soudainement son apparence de vieille femme.

Arachné est surprise mais n'éprouve aucun effroi. Elle regarde sa rivale droit dans les yeux.

– Puisque tu es là, voyons laquelle de nous deux est la plus habile ! s'exclame-t-elle.

Immédiatement, elles préparent, chacune de leur côté, deux métiers à tisser et tendent leurs fils. Elles se hâtent sans échanger un mot ni un regard.

Trois visiteuses entrent dans l'atelier. Reconnaissant Pallas, elles se prosternent.

– Allez donc chercher du public ! leur ordonne la déesse. La leçon que je donne à Arachné peut aussi servir à d'autres !

Les femmes se retirent en s'inclinant et courent vers la place du village. Quelques minutes plus tard, l'atelier est rempli de spectateurs. Idmon de Colophon, le père d'Arachné, se trouve au premier rang et tremble pour sa fille. « Quel défi insensé ! » pense-t-il le visage entre ses mains. « Ma fille ! Il faut rester humble devant les dieux. Tu n'es qu'une simple mortelle ! »

Les deux adversaires tissent aussi vite l'une que l'autre. Les deux ouvrages montent à la même allure.

Pallas a choisi d'illustrer les douze dieux du ciel, rassemblés autour du grand Jupiter. Chacun d'eux est reconnaissable.

Au centre, le dieu des dieux siège en roi tout-puissant coiffé d'une couronne étincelante. À ses côtés, Neptune, le dieu des mers, se tient debout sur des rochers escarpés, son long trident à la main.

À son propre personnage, Pallas attribue un bouclier, une lance à la pointe acérée et un casque. Puis aux quatre coins de sa toile, elle ajoute quatre petits tableaux destinés à donner une leçon de modestie à Arachné.

Le premier représente Rhodope de Thrace et Hémus qui furent métamorphosés en montagnes glacées.

Le deuxième évoque la mère des Pygmées qui devint une grue.

Le troisième parle d'Antigone, changée en une cigogne blanche.

Le quatrième montre Cinyras, privé de ses enfants, qui embrasse en pleurant les marches d'un temple.

Tous avaient défié ou offensé les dieux.

De son côté, Arachné persiste dans son insolence : elle tisse un tableau audacieux et provocateur. On y voit Europe abusée par un taureau blanc qui n'est autre que Jupiter. Elle traverse les flots sur son dos. La fresque est si réussie que la bête paraît vivante et la mer animée par de vraies vagues.

Arachné montre aussi Callisto transformée en ourse par Junon. Elle brode Io métamorphosée en génisse. Elle tisse le chasseur Actéon transformé en cerf pour avoir surpris Diane pendant son bain... Tous ont été victimes des caprices ou de la susceptibilité des dieux.

Arachné est plus inspirée que jamais. Son dessin est si délicat, ses couleurs si raffinées que son œuvre semble parcourue par le souffle même de la vie.

Craignant de déclencher les foudres de la déesse, les spectateurs n'osent s'extasier devant la fresque d'Arachné. Cependant, l'honnêteté leur interdit d'applaudir Pallas. Immobiles et muets, ils semblent paralysés.

Mais ce silence est éloquent. Pallas ne peut nier sa défaite. Elle pâlit. Humiliée par la supériorité de sa rivale, elle se sent aussi outragée par les histoires qu'elle a osé évoquer. De rage, elle saisit ses ciseaux et frappe le front d'Arachné.

Arachné recule pour échapper aux coups portés par la déesse. Des filets de sang coulent sur son visage. En vacillant sur ses jambes, elle se dirige vers son métier à tisser et, d'un geste chaotique, elle s'enroule un fil de trame autour du cou. Elle préfère mourir dignement par sa main que de laisser Pallas lui assener le coup fatal...

Arachné s'étrangle, Arachné s'étouffe. Elle meurt finalement, pendue sous son ouvrage.

Pallas sent tous les regards posés sur elle, qui la condamnent. Idmon de Colophon, hagard, fait face à la déesse. Il semble prêt à hurler ce que chacun pense : pourquoi cette violence ? Arachné était insoumise, c'est vrai. Orgueilleuse, vaniteuse, c'est vrai... Pourtant ce châtiment est injuste et démesuré !

Mais, incapable d'émettre un son, le père d'Arachné reste là chancelant, les yeux fous de douleur. Le malaise de Pallas ne dure que quelques secondes. Elle est une déesse après tout. Elle est toute-puissante ! Elle regarde Arachné et lui déclare d'une voix inflexible :

– Vis ! Mais reste suspendue, petite sotte !

Au même instant, les cheveux d'Arachné tombent sur le sol. Son corps et ses membres

se raccourcissent jusqu'à finalement dispa-
raître. Ses doigts s'attachent alors autour de
sa tête qui rapetisse à son tour. Arachné se
métamorphose en araignée.

– Continue à tisser puisque tu sais si bien le
faire ! murmure Pallas avant de quitter le lieu
de son crime.

Ainsi, Arachné s'affaire toujours autour
d'un fil. Un fil translucide aux reflets chan-
geants. Au bord des lucarnes, au coin des pla-
fonds, elle tisse inlassablement ses toiles.

Idmon de Colophon ne cesse de regarder
« sa fille ». Les yeux baignés de larmes, il murmure :

– De la laine transparente... Tu n'as jamais
pensé à m'en demander...

XII

PYGMALION

PYGMALION vit dans une cabane isolée sur la plage. La pièce principale qui donne sur la mer est sommairement meublée : une couche à même le sol pour dormir, une grosse malle pour ranger ses quelques affaires, une jarre pleine d'eau pour boire et se laver, un foyer et quelques ustensiles de cuisine.

Par une porte mal taillée – trois planches disjointes clouées à la va-vite – on accède à une salle plus petite et plus sombre aussi. C'est là où Pygmalion peint. C'est là où il sculpte aussi.

– Je vais te dessiner de plus belles lèvres encore ! dit-il en saisissant un petit marteau et un burin.

À qui parle-t-il ? Pygmalion est seul. Pygmalion est presque toujours seul. Parfois, il va au village tout près. Il y est toujours bien accueilli, les gens de l'île l'aiment bien mais l'animation des rues et du marché le fatigue vite. Il vend ses toiles et ses sculptures, achète les denrées dont il a besoin et retourne à la hâte se réfugier dans sa tanière.

– Il faudrait aussi que j'affine ton nez ! Qu'en penses-tu ? ajoute l'artiste.

Parfois, un ou deux pêcheurs de l'île viennent lui rendre visite. Pygmalion les reçoit toujours avec gentillesse, il leur offre du vin.

– Tu es plus belle ainsi ! poursuit-il.

Un rayon de soleil entre par la fenêtre de l'atelier et éclaire, comme un projecteur... une femme. C'est à elle que Pygmalion s'adresse avec tant de bienveillance et de tendresse.

– Cette lumière qui illumine ton visage te

sied à merveille. Tu es plus ravissante encore !
s'exclame Pygmalion en se reculant légèrement pour mieux l'admirer.

Elle ne répond pas. Elle ne le peut pas. Elle
est en ivoire.

– Tu scintilles comme de la neige !

Pygmalion n'a jamais vu la neige. Sa com-
paraison le fait sourire !

Avec ses mains calleuses de sculpteur, il
caresse sa statue. Elle est légèrement plus
petite que lui.

– Je sens encore quelques imperfections...
Je veux, lui dit-il, que tu sois lisse, douce, parfaite !

Il polit les coudes, le front, le bout des doigts.

– Je crois que je suis amoureux de toi ! lui
avoue-t-il en riant de lui-même.

Pygmalion l'admire. On dirait qu'elle est
vivante tant elle a l'apparence et l'expression
d'une vraie femme.

– Viens avec moi ! Je vais te montrer la mer,
lui propose-t-il gaiement.

Il la prend dans ses bras et la transporte dans la pièce d'à côté. Ce corps à corps l'émeut. Il frissonne. La gorge nouée, les yeux brillants, il l'installe devant la porte ouverte, face à l'océan.

– Tu resteras toujours avec moi ! décide-t-il.

De jour en jour, la statue prend une place plus importante dans la vie et dans la tête de Pygmalion. Il s'absente encore moins qu'avant. Quand il va au marché, il se presse car il ne supporte pas d'être séparé longtemps d'elle. Il lui rapporte des cadeaux : des fleurs, des coquillages, des cailloux polis, des petits oiseaux en cage, de l'ambre. Il les dépose à ses pieds comme des offrandes. Il la pare aussi de somptueux bijoux. Des bagues précieuses pour ses doigts. Des chaînettes d'or pour ses chevilles et son cou. Des perles de toutes les couleurs pour ses oreilles.

Mais bientôt, des éclairs de lucidité traversent son esprit et le désespèrent :

– J'aime une statue ! Je dois arrêter cette folie,

cet égarement... Cupidon, toi qui es le dieu de l'amour, appelle-t-il en pensée, délivre-moi de mon sort. Ta flèche est trop cruelle !

Hélas, c'est la déraison qui l'emporte toujours : Pygmalion ne peut s'empêcher d'embrasser et de gâter la créature qu'il a modelée de ses mains. La nuit, il la regarde dans la pénombre et doute : est-elle en chair ou en ivoire ? Il se relève pour la toucher, son corps est froid. Il vérifie encore : les veines qu'il a ébauchées sur son cou et sur ses mains ne battent pas. Pourquoi battraient-elles ? Sa poitrine ne se soulève pas. Pourquoi se soulèverait-elle ?

– Je deviens fou ! se lamente Pygmalion. Fou à lier.

Un soir, brûlant de passion pour son œuvre, il l'étreint et l'emporte dans son lit. Il pose sa tête sur un coussin moelleux comme si elle pouvait y être sensible.

Il la caresse, se blottit contre elle. Il lui murmure des choses tendres, il l'appelle :

– Ma compagne ! Ma bien-aimée ! Ma princesse !

Le temps passe et sa flamme ne vacille pas. Pygmalion pleure. Son amour insensé le tourmente. Il essaie de se raisonner. En vain.

Il continue à chérir l'image de cette femme qui n'est pas vivante, qui ne l'a jamais été.

Comme chaque année, au début du printemps, l'île célèbre avec éclat Vénus, la déesse de l'amour. Les villageois ornent leurs fenêtres de rubans et allument des bâtons d'encens sur le seuil de leur maison.

Pygmalion se promène dans les ruelles les plus reculées du village. Il entend au loin des musiciens qui jouent une mélodie douce et romantique. Il se dit qu'il aimerait danser avec la femme d'ivoire. Il l'imagine seule et voilà que son cœur se brise.

– Je rentre ! décide-t-il.

Soudain, on lui saisit le bras. C'est son camarade pêcheur.

– Quel plaisir de te rencontrer ! s'écrie-t-il.
Viens ! Je veux que tu voies ma fille !

Pygmalion décline l'invitation mais son
compagnon l'entraîne joyeusement vers le
centre du village.

– La procession va bientôt commencer,
explique encore son camarade. Toutes les
vierges de l'île vont défiler ! Tu vas voir, c'est
émouvant !

Habillées de tuniques blanches, des jeunes
filles pour la plupart marchent en cortège jusqu'à un somptueux autel installé en l'honneur
de Vénus sur la place du village. Elles lancent
des pétales de roses sur leur chemin.
Pygmalion en ramasse quelques-uns. Il les
offrira à sa bien-aimée tout à l'heure. Il ne cesse
de penser à elle.

– Et maintenant, c'est l'heure des sacri-
fices ! annonce le pêcheur.

– Je ne vais pas rester..., s'excuse Pygmalion
en s'éloignant.

Il souhaite partir mais la foule l'encercle. Il

ne peut plus bouger et la cérémonie commence, avec solennité.

Un jeune garçon entoure de ruban d'or les cornes d'une génisse blanche, puis il lui tranche la gorge d'un coup, d'un seul.

Pygmalion frémit. Le cri de l'animal qui meurt lui semble insoutenable. Il se bouche les oreilles. Des larmes inondent ses yeux. Il se sent tellement plus fragile depuis qu'il aime sa statue ! Une fois de plus, il se raisonne tout bas :

– C'est une vraie femme que je dois aimer. Pas elle ! Pas elle !

Mais en même temps qu'il murmure ces mots, un désir violent de la serrer entre ses bras monte en lui. Une nouvelle fois, il tente de s'échapper mais la foule est dense. Il bouscule les uns, contourne les autres. Il progresse lentement et se trouve brusquement aspiré par un courant humain qui se dirige vers l'autel. Contraint, il se laisse emporter. Ses voisins psalmodient des incantations et des prières.

Le rythme et l'écho de leur voix résonnent dans sa poitrine. Que fait-il là ?

Le voilà devant Vénus. À la lueur des bougies et au milieu des fumées d'encens, sa statue semble de chair. Cette hallucination, cette impression mensongère, Pygmalion la connaît bien... Il se prosterne devant la déesse et balbutie tout bas :

– Vous connaissez déjà mon drame parce qu'une déesse comme vous sait et devine tout avant qu'on le lui dise. Vénus ! Ô Vénus ! Je vous en supplie, donnez-moi pour épouse...

Il manque de dire : « La femme d'ivoire », mais se reprend :

– ... une femme pareille à la vierge d'ivoire.

Il reste silencieux un long moment puis se retire en disant :

– Merci !

Merci... Vénus aime qu'on la remercie. N'a-t-elle pas métamorphosé Atalante et Hippomène en lions tant elle était courroucée par leur ingratitude ?

Du ciel, elle le regarde : il a rejoint la plage et court vers sa maison en serrant fébrilement au fond de sa poche les pétales de roses qu'il a ramassés tout à l'heure. La déesse qui lit dans les cœurs sait que Pygmalion ne désire pas une femme qui ressemble simplement à sa statue d'ivoire...

L'artiste ouvre la porte de sa cabane avec fracas et se précipite sur sa bien-aimée. Il la prend dans ses bras et s'écrie :

– Je ne veux pas t'aimer mais je t'aime, je t'aime à la folie !

Il lui donne un baiser sur les lèvres. Elles sont tièdes.

– Ton corps a engrangé la douce chaleur du soleil, dit-il.

Avec ses mains, il caresse les seins. L'ivoire semble plus tendre que d'habitude. Il fléchit sous ses doigts un peu comme la cire chaude d'une bougie.

Pygmalion s'agite, des gouttes de sueur perlent sur son visage. Il croit à une nouvelle hallucination. Combien de fois a-t-il déjà imaginé qu'elle devenait vivante ? Combien de fois s'est-il relevé pendant la nuit pour vérifier si elle était de chair ou d'ivoire ?

Pygmalion blottit son visage contre le cou. Il sent les veines qui palpitent sous sa joue. Il perçoit maintenant un souffle qui sort des narines.

– Je suis fou ! murmure-t-il. D'ivoire, tu es. D'ivoire, tu resteras. C'est ainsi !

Soudain, il frissonne. Elle promène ses doigts fins sur sa nuque. Il frémit, elle embrasse ses cheveux... Pygmalion se redresse et s'écarte d'elle pour mieux la considérer.

Il hurle :

– Mais tu es vivante ! Cette fois, je ne rêve pas ! TU ES VIVANTE !

Elle rougit.

Il plonge ses yeux dans les siens. Elle cille des paupières. Ses pupilles rondes s'animent. Oui, elle a un regard !

– Tu me vois ! se réjouit-il.

Il lève les yeux au ciel, plein de reconnaissance envers Vénus. Il lui murmure :

– Merci...

Pygmalion emmène sa bien-aimée sur la plage et se couche à ses côtés sur le sable. Elle est fascinée par la mer qui va et vient, par les nuages qui glissent au-dessus d'elle, elle découvre le monde.

Le sculpteur la contemple, éperdu de bonheur. Il bredouille :

– Mon nom... est... Pygmalion !

– Je le sais déjà ! lui répond-elle en souriant.

Sa voix est douce et claire. Son visage est rayonnant. Pygmalion est heureux et comblé.

XIII

ATALANTE

La beauté d'Atalante semble surnaturelle. Ses yeux immenses, sa bouche si délicate, ses cheveux noirs de jais aussi souples, aussi brillants que la soie, la ligne parfaite de son corps, tout en elle fascine.

Pourtant, c'est au moment où elle se déplace qu'Atalante révèle sa véritable beauté. Elle traverse l'espace avec une grâce inexplicable.

Est-ce la finesse de ses articulations, l'élégance naturelle de ses gestes ou la longueur incroyable de ses jambes ? On ne peut détacher le regard du moindre de ses mouvements. On voudrait la voir à nouveau tendre la main vers cette fleur, lever les bras pour attacher ses cheveux ou simplement marcher. On rêve de la voir courir.

Car les pieds d'Atalante ont la réputation d'être doués d'une agilité divine. Grâce à eux, dit-on, elle court à une vitesse vertigineuse et pourrait dépasser sans effort les athlètes de la région.

Bien sûr, les hommes désirent Atalante. Il ne se passe pas un jour sans qu'on la demande en mariage. Il n'y a pas un endroit où elle ne devienne, dès qu'elle apparaît, le centre de tous les regards, le sujet de toutes les conversations. On l'admire, on l'envie. On la convoite, on la jalouse. Et sa beauté, en fin de compte, empoisonne la vie d'Atalante.

Elle rêve souvent d'une vie ordinaire, de relations plus simples avec les autres. Mais elle est prisonnière de son image. Où qu'elle aille, elle déclenche la passion.

Alors, pour tenir à distance ces hommes qui la veulent et ces femmes qui lui en veulent, Atalante songe à se marier. Mais qui choisir ? Jusqu'à présent elle n'a encore jamais aimé. Jamais.

« Je dois trouver une solution, pense-t-elle, je ne veux pas continuer à vivre ainsi, à repousser les uns, à me défendre des autres. Je n'en peux plus ! Je vais consulter les dieux. Eux seuls peuvent m'aider. »

Et Atalante se rend au temple. Elle demande à rencontrer la pythie, celle qui transmet la parole des dieux. Un prêtre la conduit en haut d'une tour. Dans la lueur vacillante des bougies et les fumées d'encens, la pythie est là, assise en tailleur à même le sol, elle a les yeux fermés et semble perdue dans un songe.

Atalante se prosterne devant elle et la questionne sans préambule :

– Dois-je choisir un époux ?

– Un époux ! répond la voix étrangement profonde de la pythie. Non, Atalante, il ne t'en faut point !

Et la pythie se tait. Atalante se demande si elle doit se contenter de cette brève réponse. Elle s'apprête déjà à partir quand soudain la voix reprend beaucoup plus haute et forte, presque en un chant :

– Fuis le mariage, Atalante ! Et pourtant, tu n'y échapperas pas. Et sans cesser de vivre, tu ne seras plus toi-même...

Atalante est parcourue d'un frisson. Quelle mystérieuse réponse ! Le début du message est clair : pas de mariage. Mais la fin semble dire le contraire et contient une énigme inquiétante : *sans cesser de vivre, tu ne seras plus toi-même...* Qu'est-ce que cela signifie ?

« Je resterai seule jusqu'à la fin de mes jours ! décide-t-elle. La solitude ! Vivre en ermite ! Voilà le seul moyen d'échapper à l'oracle des dieux. »

À la sortie du temple, trois hommes attendent Atalante. Ils veulent lui parler, lui demander sa main...

– Me laisseront-ils jamais en paix ! s'écrie la jeune femme.

Rageusement, elle se met à courir. Elle part à vive allure sans réfléchir. Elle laisse ses pieds agiles la transporter où bon leur semble, loin des hommes, loin de la pythie et de ses prédictions incompréhensibles.

La voilà au bord d'un ruisseau dans un endroit reculé. Elle découvre une grotte et se prépare un lit de feuillages. Elle tisse des branchages pour masquer l'entrée de son abri et s'amuse à creuser un siège dans une vieille souche d'arbre... Atalante est seule, enfin tranquille. Toute une journée de bonheur, parmi les oiseaux et les écureuils.

Le lendemain, lorsqu'elle ouvre les yeux, elle découvre au-dessus d'elle... un homme brun et barbu qui la regarde. Elle sursaute :

– Que faites-vous là ?

– Je... j'attendais votre réveil. Je vous ai vue courir hier. Vous étiez si belle, j'ai essayé de vous suivre, mais je vous ai perdue. Alors j'ai suivi vos traces, pas à pas, dans la forêt. Je suis tellement heureux de vous avoir trouvée !

Atalante sent la colère monter en elle. Même ici, dans cet endroit perdu, on vient la courtiser !

– Et bien sûr, vous aussi, vous voulez m'épouser ? lâche-t-elle, irritée.

Le barbu sourit d'un air émerveillé.

– Oui ! murmure-t-il.

« Quel imbécile ! » pense Atalante, exaspérée. Elle a envie de se moquer de lui.

– Pour m'épouser, il faut d'abord m'avoir vaincue à la course !

L'homme sourit de plus belle.

– Si vous gagnez, vous aurez ma main, poursuit Atalante, mais si je vous devance... vous paierez la défaite de votre vie. Êtes-vous prêt à prendre ce pari ?

En imposant un tel enjeu, Atalante espère

que l'homme va battre en retraite piteuse-
ment. Il a bien vu comme elle savait courir.
Mais elle se trompe !

– Rendez-vous ce soir aux arènes ! s'écrie
l'homme et il s'enfuit.

Atalante n'a plus le choix. La course est
annoncée et le bouche à oreilles est si rapide
que, le soir venu, les arènes sont noires de
monde.

Mais le barbu n'est pas seul sur la ligne de
départ. D'autres ont demandé à participer.
Voilà qu'ils sont dix prétendants !

Alors Atalante fait solennellement répéter
les conditions de la course : la victoire et sa
main, ou la mort !

« Aucun ne recule, constate Atalante ! Ils ont
choisi. Au moins quand ces hommes auront
perdu la vie, les autres me laisseront en paix. »

Le départ est donné. Atalante s'élance. Elle
court. Elle court pour échapper aux hommes
qui veulent la posséder. Elle court pour sa
liberté.

Et dès les premières enjambées, elle distance tous ses malheureux prétendants, désormais promis à la mort...

Cependant la fascination qu'Atalante exerce est puissante... Si puissante que dès le lendemain, d'autres courses sont organisées et que d'autres hommes sont vaincus.

Un jour, un étranger nommé Hippomène est assis parmi le public. Il vient d'arriver dans la région et s'étonne du spectacle auquel il assiste.

– C'est incroyable, dit-il à son voisin, comment ces hommes peuvent-ils aller ainsi au-devant de la mort pour une femme ! Il y a tant de jolies filles partout ailleurs !

C'est alors qu'Atalante passe devant lui. Il se lève, le souffle coupé.

Bien sûr, elle est très belle, mais c'est surtout la force qui se dégage de son être qui fait vibrer Hippomène.

– Par Jupiter, murmure-t-il en se rasseyant, je retire ce que je viens de dire.

Et le jeune homme porte sa main droite à sa poitrine comme si une flèche venait de la transpercer.

– Touché ! dit-il en pensée à Cupidon, le dieu de l'amour.

Sous sa paume, il sent son cœur qui bat comme un tambour. Comme les autres, Hippomène est amoureux.

La course commence et Hippomène prie pour qu'Atalante devance tous ses concurrents. Elle est si vive et si légère. Éblouissante. Ses longs cheveux flottent au vent, devant le peloton compact des jeunes gens, pourtant musclés, qui peinent à la suivre. Puis soudain, sans effort apparent, elle accélère. La foule se lève dans un cri. Qui pourrait la dépasser ? Elle vole plus qu'elle ne court. Victorieuse, elle franchit la borne d'arrivée. Hippomène est subjugué.

On coiffe Atalante d'une couronne de laurier. Hippomène s'est approché et l'interpelle :

– Atalante !

Elle se retourne.

– Tes adversaires sont des hommes ordinaires et ton triomphe est facile ! lui dit-il en souriant.

Tandis qu'il parle, Atalante le regarde. Il est plus jeune qu'elle. Il n'a presque pas de barbe. Il est gracile et beau, à la fois sûr de lui et maladroit. Cela la touche énormément.

– C'est avec moi qu'il faut lutter ! poursuit Hippomène.

Atalante sent quelque chose qui vacille en elle. Ce garçon la bouleverse.

– Si je prends l'avantage, tu n'auras pas à rougir d'être vaincue par moi. Je suis l'arrière-petit-fils de Neptune, le dieu des eaux, reprend Hippomène.

Atalante est troublée. C'est la première fois qu'elle ressent un tel émoi.

– Et puis, si je suis vaincu, ta victoire te vaudra une immortelle renommée !

– Non ! crie soudain Atalante. Fuis-moi ! Renonce ! Trouve une autre fille qui saura t'aimer. Va-t'en ! Je te le demande ! Je suis lasse de voir mourir ces hommes qui se croient tous plus forts que les autres.

Et tandis que par sa bouche, Atalante essaye de décourager Hippomène, son cœur s'affole.

« Mon ami ! pense-t-elle. Pourquoi tes yeux m'ont-ils rencontrée ? Comme tu es jeune, comme tu es beau ! Ah, si des destins hostiles ne m'invitaient pas à fuir le mariage, c'est toi que j'aurais choisi. Tu es le seul avec qui je voudrais partager ma couche. »

Cependant, ceux qui ont assisté à la scène réclament la course sans délai.

– Non ! crie Atalante. Pas avec lui !

Hippomène, lui, se déclare prêt. Pourtant, au moment de s'élancer, le petit-fils de Neptune éprouve le besoin de s'assurer que sa glorieuse parenté lui vaut toujours la faveur des dieux. Il invoque Vénus, la déesse de l'amour : « Aide-moi dans mon entreprise, l'implore-t-il, et protège la flamme qui brûle dans mon cœur ! »

Dans le ciel, Vénus est flattée que ce jeune Hippomène pense à elle plutôt qu'à un autre dieu et, instantanément, elle lui accorde son secours.

Elle apparaît à côté de lui. Il sursaute.

– Ne t'inquiète pas, lui dit-elle, toi seul peux me voir, toi seul peux m'entendre. Prends ces trois pommes d'or et fais ce que je dis quand je le dirai !

Le garçon saisit les fruits avec avidité.

– Ils ne sont visibles que par toi ! prévient la déesse, puis elle disparaît.

Atalante et Hippomène sont maintenant côte à côte sur la ligne de départ.

– Je ne veux pas que tu meures ! Pourquoi as-tu relevé ce sanglant défi ? lui murmure Atalante.

Mais déjà, les trompettes donnent le signal. Les deux adversaires, penchés en avant, s'élancent hors de la barrière, effleurant le sable de leurs pas rapides. Il semble qu'ils pourraient courir sur l'eau sans se mouiller les pieds, tant ils vont vite. Ou bien courir sur les blés sans les courber.

Hippomène est le premier homme à pouvoir rivaliser ainsi avec Atalante. Cependant, il sent déjà les premiers signes de la fatigue. Sa bouche est sèche et l'arrivée est encore loin. Le cœur brisé, Atalante prend la tête de la course.

Hippomène entend alors une voix, venue des cieux.

– Lance une pomme devant elle. Ses yeux la verront ! lui ordonne Vénus.

Hippomène jette le fruit d'or qui roule aux pieds d'Atalante. Celle-ci, fascinée par cette pomme divine, s'arrête et se baisse pour la ramasser. Le public, croyant qu'elle est à bout de forces ou bien souffre d'un point de côté, laisse échapper un « oh » de stupeur. Hippomène a rattrapé son retard. Le voici en tête.

Mais Atalante le rejoint. Un moment, ils luttent de nouveau côte à côte. Et de nouveau, Atalante se détache.

– Jette une autre pomme ! intervient alors Vénus.

Hippomène obéit et Atalante s'immobilise une seconde fois pour ramasser le fruit.

– Oh ! clame encore la foule surprise.

Et le même épisode se renouvelle : Atalante est distancée puis elle rejoint son rival et le dépasse.

C'est la dernière partie de la course. Hippomène ne sent plus ses jambes, son souffle est court.

– Vénus ! appelle-t-il. Que dois-je faire maintenant ?

– Lance ta troisième pomme, mais à l'écart de son chemin.

Hippomène rassemble toute son énergie pour envoyer sa dernière munition.

Atalante la suit du regard. La boule d'or passe devant elle et s'immobilise à quelques mètres sur sa droite.

« Je n'y vais pas », décide-t-elle.

Aussitôt, Vénus s'insinue dans ses pensées :

– Tu as le temps... Tu cours si vite ! Vas-y !

Atalante hésite. Ses idées se brouillent.

« S'il gagne, je n'échapperai pas à mon destin. S'il perd, il meurt ! pense-t-elle affolée. Que dois-je faire ? »

– Vas-y ! intime Vénus.

Atalante détourne sa course et va ramasser la pomme.

La foule se lève, elle croit encore à un malaise.

Hippomène aperçoit la borne d'arrivée là-bas. Encore deux cents mètres. Il doit tenir bon.

Atalante porte les trois fruits d'or dans ses bras, elle reprend sa course et rattrape Hippomène.

– Vénus ! implore le garçon. Aide-moi !

La déesse alourdit le fardeau d'Atalante. Les pommes deviennent si pesantes que la jeune femme ralentit. Dix mètres encore, Hippomène jette ses dernières forces dans la bataille. Il franchit la ligne d'arrivée un quart de seconde avant Atalante et s'écroule, vainqueur !

Devant cette victoire inattendue, les spectateurs acclament Hippomène et envahissent la piste. Ils le portent en triomphe et le coiffent de la couronne de laurier.

De son côté, Atalante regarde ses mains vides. Ses trois pommes, si lourdes il y a quelques minutes encore, ont disparu. A-t-elle rêvé ? Que s'est-il passé ? Elle se sent perdue, déchirée par des sentiments contradictoires : elle est heureuse de laisser la vie à Hippomène et de l'épouser. Mais elle a peur du message des dieux : « Tu n'échapperas pas au mariage et, sans cesser de vivre, tu ne seras plus toi-même. »

Le soir même, l'union d'Hippomène et d'Atalante est célébrée. Ils ne se quittent plus. Amoureux fous l'un de l'autre, ils passent de longues heures, main dans la main, à se promener dans la nature, à parler, à se regarder.

Depuis la course, Vénus suit son protégé du

regard, du matin au soir, et elle sent sa patience s'amenuiser d'heure en heure. Elle fulmine :

– Pas une prière de remerciement, pas un bâton d'encens allumé en mon honneur ! Hippomène, tu es un ingrat !

Sa colère est à son comble quand le couple arrive aux abords d'un sanctuaire isolé.

– S'il ne me témoigne pas sa reconnaissance en ce lieu, je...

Mais les deux amoureux passent leur chemin sans s'arrêter.

Vénus s'emporte. Elle éveille chez Hippomène un ardent désir pour sa femme.

– Viens ! Reposons-nous là ! lui dit-il.

Près du temple se trouve une grotte considérée depuis les temps anciens comme un lieu sacré. Ils entrent pour s'y aimer.

– Quelle honte de profaner un endroit comme celui-ci ! s'indigne Vénus haut et fort afin d'attirer le regard des autres dieux.

Et pendant qu'ils s'aiment, Vénus, pleine de rage, métamorphose Hippomène et Atalante.

Une épaisse crinière de fauve pousse sur leur nuque. Irrémédiablement, leurs doigts se courbent en forme de griffes. À leurs épaules naissent des pattes musclées et poilues. Il leur vient une queue qui balaie nerveusement la surface du sable.

Leur regard exprime la colère mais, au lieu de paroles, ils profèrent des rugissements. Ils sont devenus des lions, cette espèce redoutable qui, au lieu de tourner le dos pour s'enfuir, présente la poitrine pour combattre. Oui, Atalante continue de vivre mais elle a cessé d'être elle-même.

XIV

ADONIS ET VÉNUS

Niché au cœur d'un tronc d'arbre de myrrhe, recroquevillé sur lui-même, la tête vers le bas, les fesses vers le haut, Adonis se développe harmonieusement. Le petit garçon n'a pas besoin du ventre d'une femme pour grandir ! C'est la sève de son arbre qui le nourrit.

Ses membres poussent, ses organes se forment comme il faut, et bientôt il devient assez fort pour respirer avec ses poumons et manger avec sa bouche. Il est prêt à naître.

L'arbre le sent et se déforme de lui-même

comme s'il était ébranlé par une violente tempête. Il se courbe. Son écorce se fend soudain et sécrète de la résine qui s'épanche sur le sol en abondance. Les branches s'inclinent toutes ensemble d'un même côté. Animées par une force étrange, elles ploient et ploient encore. Le tronc craque et s'entrouvre progressivement. Suffisamment pour laisser sortir l'enfant.

Une nymphe est là, elle dégage Adonis et le place tendrement bien au chaud contre son sein.

– Bienvenue ! lui murmure-t-elle. Je savais que tu allais arriver et je t'attendais !

Elle lui parle avec affection, elle le félicite :

– Tu es un très beau nourrisson.

Puis elle récolte quelques gouttes de myrrhe qui suinte de l'arbre maternel et en parfume l'enfant.

– Ce sont les larmes de ta mère ! lui explique-t-elle mystérieusement.

Lorsque la nymphe revient avec l'enfant auprès de ses compagnes, elle leur apprend tout ce qu'elle sait sur lui.

– C'est un vieil homme que j'ai rencontré dans le bois qui m'a raconté son histoire. Sa mère s'appelait Myrrha. Elle était la fille du roi Cinyras, un homme beau et généreux.

– C'était une princesse ? demande une jeune fille.

– Oui, et il paraît qu'elle ne vénérait pas Vénus, la déesse de l'amour.

– Pourquoi ?

– Je ne sais pas, mais elle était la seule de la contrée à ne pas participer aux processions organisées en son honneur. Elle était la seule à ne pas prier la déesse de veiller sur son cœur.

– Et alors ?

– On dit que Vénus en a pris ombrage et qu'elle a insufflé dans le cœur de Myrrha un sentiment interdit : elle s'est mise à aimer passionnément son père Cinyras.

Les autres nymphes écoutent, silencieuses. À tour de rôle, elles balancent Adonis qui dort dans un berceau accroché à une branche.

– Myrrha était dévorée et torturée par sa

flamme, elle ne dormait plus, ne mangeait plus, elle ne pensait qu'à Cinyras. Elle voulait devenir sa maîtresse...

– Oooh !

– Pour échapper à son désir incestueux, elle a même voulu mourir ! C'est sa nourrice qui l'en a empêchée. C'est elle aussi qui l'a jetée dans les bras du roi en manigançant des rendez-vous. Ainsi, pendant huit nuits, Myrrha a aimé son père dans le noir absolu. Mais le neuvième soir, Cinyras a approché une torche pour éclairer le visage de celle qui s'était unie à lui avec tant d'affection et d'ardeur.

– Et il a découvert sa fille ! continue une nymphe.

– Oui ! Il était furieux, honteux, déshonoré et il a voulu la tuer. Il a saisi son épée et l'a brandie au-dessus d'elle. Myrrha s'est sauvée !

Les nymphes boivent les paroles de la conteuse, elles sont suspendues à ses lèvres :

– Où est-elle allée ?

– Elle a marché des jours et des jours le

cœur déchiré. Elle vagabondait dans les campagnes. Elle mendiait sa nourriture, elle dormait là où elle s'effondrait. Puis elle a senti ses flancs s'alourdir. Elle allait avoir un enfant de son père. Un enfant dont elle allait être à la fois la mère et la sœur !

Les nymphes sont bouleversées. Elles attendent la suite de la tragédie dans un silence respectueux.

– Son ventre était déjà bien rebondi lorsque j'ai vu Myrrha. Vêtue de nobles habits, elle errait dans la forêt, échevelée, sale, trempée de transpiration.

– Et elle, elle t'a vue ?

– Non. Elle me tournait le dos mais je marchais d'un bon pas vers elle, je voulais la saluer. C'est alors qu'elle s'est mise à crier en regardant le ciel : « Je me dégoûte moi-même ! Ne me laissez pas souiller le monde des vivants ni celui des morts ! Faites de moi un autre être ! » Et les dieux l'ont entendue. Ses pieds se sont enracinés devant moi. Son buste et son abdomen se sont métamorphosés en tronc. Son sang en sève, ses bras en branches. Myrrha est devenue sous mes yeux un arbre de myrrhe. Le tronc était enflé en un endroit. J'y ai posé ma main et j'ai senti Adonis. Je me doutais qu'il allait vouloir sortir et je l'ai attendu.

Adonis s'éveille paisiblement.

– Et comment ce vieil homme que tu as rencontré dans la forêt connaissait son histoire ? demande alors une nymphe.

– Il avait accueilli Myrrha la veille au soir. Il lui avait donné à manger et lui avait proposé une couche pour qu'elle se repose. Mais le matin quand il s'est réveillé, elle avait disparu ! Il est aussitôt parti à sa recherche, il voulait qu'elle reste chez lui au moins jusqu'à la naissance de son bébé.

Le temps s'écoule et les nymphes s'occupent d'Adonis avec tendresse. Elles le chérissent comme leur propre fils et l'emmènent souvent jouer auprès de l'arbre qui lui a donné la vie.

La brèche de sa naissance ne s'est jamais refermée et l'enfant y cache des pierres, des plumes et autres trésors.

Adonis grandit...

Il devient un jeune homme très beau. Si beau qu'un jour...

C'est un jour clair et ensoleillé. Vénus est en compagnie de Cupidon, son fils. Ils se promènent paisiblement dans le ciel à bord d'un char tiré par dix cygnes blancs. Ils survolent la Terre et, tout en parlant, ils admirent le paysage. C'est alors que la déesse de l'amour aperçoit Adonis qui se rafraîchit tout habillé sous une cascade. Son corps musclé, ses gestes amples retiennent un instant l'attention de la déesse.

– Aïe ! s'écrie-t-elle soudain.

Dans sa distraction, elle vient de se blesser avec une flèche qui dépasse du carquois de son fils !

– Je suis désolé ! dit Cupidon. Je n'ai pas bougé ! Je ne sais pas pourquoi mais c'est toi qui as sursauté.

– Est-ce un trait qui donne l'amour ou qui le fait fuir ? demande Vénus, troublée.

Mais la déesse connaît déjà la réponse à sa question : elle sent son cœur s'emballer, ses mains trembler, son corps se remplir de désir pour... le jeune baigneur.

– Envole-toi ! demande Vénus à Cupidon. J'ai besoin d'être seule.

Le dieu quitte le char et, immédiatement, la déesse commande à ses oiseaux de piquer vers la Terre. La descente est vertigineuse et rapide. Vénus rit toute seule, grisée à la fois par la vitesse et par la flamme nouvelle qui l'anime.

Adonis, les pieds dans l'eau, a repéré l'attelage dans le ciel et le regarde s'approcher, puis se poser à une cinquantaine de mètres de lui !

– Vénus ! murmure-t-il, surpris de la voir atterrir là en pleine nature.

Il a maintes et maintes fois entendu les nymphes parler de la déesse mais il ne l'a jamais rencontrée.

– C'est elle, j'en suis sûr !

Elle descend de son char avec majesté et caresse un de ses cygnes.

Adonis est sorti de l'eau, il va à sa rencontre et se prosterne devant elle. Il est à la fois impressionné et amusé par la situation dans laquelle il se trouve. Lui, tout dégoulinant face à la resplendissante Vénus.

– Relève-toi, chuchote-t-elle, la voix cassée par l'émotion.

Il se redresse et, sans mot dire, elle plonge aussitôt ses yeux dans les siens. Elle capture son regard.

Adonis ne cille pas. Davantage par jeu que par défi. Quand il était petit, il jouait ainsi avec les nymphes. Le premier qui baissait les paupières avait perdu et il gagnait souvent.

Il lui sourit à pleines dents. Des petites fossettes creusent ses joues. Vénus est enchantée par sa jeunesse, sa spontanéité et sa décontraction. Elle frémit.

Adonis, lui, la trouve magnifique et s'interroge. Qu'est-ce qu'elle fait là à ses côtés ? Que cherche-t-elle ? Que lui veut-elle ?

– Viens, l'invite-t-elle. Allons nous promener !

Il la suit sans dire un mot, ravi et... curieux.

Dès lors, Vénus ne quitte plus Adonis. Elle arrive sur Terre en même temps que le Soleil et repart dans le ciel à la même heure que lui.

Où que le jeune homme s'endorme, il la trouve à son chevet le matin et ils passent la journée ensemble. Elle le suit partout, cédant à tous ses désirs.

Il veut chasser ? Elle retrousse ses robes et capture avec lui les daims, les lièvres, les cerfs.

Il veut pêcher ? Elle l'aide à installer des nasses en osier.

Il veut se baigner ? Elle nage à ses côtés.

Elle l'aime tellement qu'elle a perdu de sa raison et de sa clairvoyance.

Lui n'est pas dévoré par la même flamme.

– Est-ce que tu m'aimes ? lui demande-t-elle un jour.

– Je me sens bien avec toi ! répond-il avec sincérité. J'adore quand nous sommes l'un contre l'autre et que tu me racontes tes histoires.

– Alors, couchons-nous au pied de ces peupliers, je vais te parler... d'Hippomène !

Ils s'allongent sur un tapis de trèfle. Elle appuie sa tête au creux de son épaule et se serre contre lui.

– Qui est Hippomène ? demande Adonis.

– Un homme ingrat que j'ai aidé.

Vénus relate l'histoire avec talent. Elle décrit les ambiances, les sentiments avec des mots justes, elle n'oublie aucun détail. Il suffit à Adonis de fermer les yeux et d'imaginer.

– Ma colère était terrible, conclut la déesse, et j'ai métamorphosé Hippomène et Atalante en lions.

– En lions ! Pourquoi pas en lièvres ou en insectes ? Pourquoi avoir mis sur la Terre deux cruels fauves supplémentaires ? demande Adonis.

Vénus est troublée. Elle se souvient des deux gueules féroces d'« Hippomène » et d'« Atalante » et tremble en imaginant soudain que des bêtes comme celles-là pourraient facilement agresser et tuer son amant. Ses sentiments la rendent fragile et vulnérable.

– Jure-moi, s'exclame-t-elle brusquement inquiète, de faire toujours attention à toi et de renoncer à la chasse en mon absence ! Les fauves, les loups, les sangliers ne seront pas charmés comme moi par ta beauté et ton jeune âge. Si tu meurs, je ne le supporterai pas.

Adonis ne promet rien. Il effleure simplement ses cheveux d'un geste rassurant et tendre.

Déjà le soleil décline à l'horizon et la lune dessine un fin croissant dans le ciel.

– À demain, mon amour ! murmure Vénus. Je règle quelques affaires célestes et je reviens. Sois prudent !

Ce soir-là comme tous les soirs, Adonis rejoint l'arbre de sa naissance.

Il enduit son visage de myrrhe et passe un long moment adossé contre le tronc. Il aimerait tant connaître l'histoire de sa mère. Hélas, malgré ses questions renouvelées, les nymphes disent qu'elles ne savent rien sinon qu'elle s'appelait Myrrha avant d'être métamorphosée en arbre de myrrhe...

Puis Adonis reprend sa marche solitaire. Il aime se promener ainsi avant d'aller dormir. Les parfums du soir le ravissent.

Au détour d'un chemin, il entend un grognement. Il se retourne prestement et étouffe un cri : à une quinzaine de mètres de lui à peine se dresse un sanglier. C'est un mâle, une bête monstrueuse. Adonis s'immobilise, espère un instant pouvoir se cacher, mais le phacochère l'a repéré et le charge déjà. Il gratte la terre avec sa patte arrière. Il est furieux, il bondit.

Tout va très vite. Adonis saisit une flèche dans son carquois et met l'animal en joue. Il lui adresse de toutes ses forces un trait oblique avant de fuir.

Blessée aux flancs, la bête redouble de fureur, elle rattrape Adonis, le met à terre et lui plonge ses défenses dans l'aine.

Adonis hurle. Son cri déchirant résonne dans la forêt et jusqu'au ciel. Vénus l'entend. Elle reconnaît immédiatement la plainte de celui qu'elle aime. Du haut des airs, elle scrute la Terre et l'aperçoit agonisant dans son sang.

Elle crie à son tour, s'arrache les cheveux, se griffe le visage de douleur.

– Non, non, non ! répète-t-elle.

Elle apparaît instantanément auprès de lui mais déjà, il est mort.

Elle l'appelle, lui ordonne de se réveiller. Elle plonge ses poings dans sa blessure pour retenir son sang, elle lui frappe les joues, elle s'égosille en vain : la vie s'est retirée d'Adonis.

– Mon amour, mon bel amour ! se lamente Vénus.

La déesse reste près de lui. Alertées, les

nymphes elles aussi sont là un peu à l'écart.

L'une d'elles s'approche timidement et suggère de transporter Adonis auprès de l'arbre de myrrhe.

– Nous le connaissons, dit-elle. Il était très attaché à Myrrha, sa mère. C'est à ses côtés qu'il aurait souhaité être enseveli.

En entendant le nom de Myrrha, Vénus pâlit. Elle ne savait pas de qui Adonis était le fils ou, plutôt, elle ne le savait plus. Aveuglée par l'amour, elle l'avait oublié.

Elle hurle :

– Allez-vous-en !

La déesse a veillé Adonis jusqu'au petit matin. Puis à l'heure où d'habitude elle arrivait pour être près de lui, elle est partie accablée.

Les nymphes ont attendu qu'elle s'éloigne pour venir rendre un dernier hommage à celui qu'elles ont élevé.

– Où est-il ? s'écrie l'une d'elles. Où est son corps ? Il a disparu !

Là où gisait Adonis, il y a maintenant une anémone rouge.

– Vénus l'a métamorphosé en fleur ! s'exclame une nymphe.

– C'est une espèce nouvelle ! constate une autre. Ses pétales sont rouges comme le sang, fragiles comme un enfant.

Quelques mois plus tard, grâce au vent qui a transporté une graine, une autre anémone pourpre fleurit au pied de l'arbre de myrrhe. Adonis repose désormais auprès de sa mère.

POSTFACE

J'étais au collège. Le professeur de français nous avait demandé de lire « au moins *Daphné et Narcisse* ». À l'époque, je n'étais pas une grande lectrice et la découverte en solitaire d'un texte littéraire était pour moi quelque chose de difficile. Et plus l'auteur était ancien, plus son style et ses propos me paraissaient inaccessibles. Je le reconnais, je n'étais pas particulièrement douée !

Je me souviens, l'enseignante avait ajouté : « Vous allez voir, ce sont des histoires merveilleuses. Vous allez vous régaler. »

Le soir même, j'ouvre avec circonspection l'épais volume. À l'intérieur, c'est écrit petit et il n'y a pas d'illustrations... Je commence *Daphné* et... dès le second paragraphe, je soupire de découragement.

Je suis perdue dans les personnages. Qui est la fille du Pénée, et puis comment un fleuve peut-il avoir un enfant ? Qui est Python ?

Je m'égare aussi dans les lieux géographiques : le pays de Delphes, la résidence royale de Patara, le Capitole...

Parfois il y a des notes qui renvoient à la fin du livre. Je déteste ces allers et retours qui interrompent la lecture. Et puis, les explications données n'aident pas toujours à comprendre !

À quoi bon continuer ? Je ferme le livre. Je renonce. Les « histoires merveilleuses » promises par la prof passent à côté de moi sans même m'effleurer. Pourtant aujourd'hui, j'en suis certaine, je serais tombée sous le charme de l'univers merveilleux d'Ovide, si j'avais pu y entrer.

Lorsque beaucoup plus tard, je reprends le livre, je me sens immédiatement fascinée par ce monde où chaque animal, chaque plante possède une « âme » humaine ou divine... L'écriture d'Ovide me touche par sa force poétique. Je suis ravie, mais j'ai néanmoins un regret : celui de ne pas avoir découvert ces contes fantastiques plus tôt.

C'est pour cette raison que j'ai écrit ce livre. Pour faciliter l'entrée des plus jeunes dans l'univers fabuleux d'Ovide.

J'ai choisi quatorze métamorphoses parmi les deux cent trente et une racontées par l'auteur latin. Celles auxquelles on fait souvent référence, celles qui sont sans doute les plus significatives.

Pour les écrire, j'ai lu une – et une seule – traduction du texte et je me suis laissé emporter par les images qu'elle m'évoquait. Je les vivais en les écrivant.

Je n'ai pas souhaité faire de recherches approfondies, comparer différentes versions.

Je n'ai pas consulté des dizaines d'ouvrages et de dictionnaires sur la mythologie romaine (j'en ai ouvert quelques-uns malgré tout !). Je n'ai pas privilégié la rigueur mais... la vigueur. J'ai supprimé tout ce qui ne me semblait pas essentiel et qui pouvait encombrer le récit. J'ai retiré les noms de contrées, de pays, d'îles et de lieux-dits.

J'ai aussi simplifié les différentes appellations d'un même personnage. Apollon se nomme Apollon, Diane reste Diane. Un point, c'est tout !

Et puis, afin de rendre mes textes plus fluides, je les ai rédigés au présent en préférant les dialogues aux longues descriptions.

J'ai écrit avec mes sens et avec mon cœur. J'étais dans la barque avec Deucalion et Pyrrha. J'ai souffert avec Callisto. J'ai haï Jupiter. J'étais sur le char du Soleil avec Phaéton. J'ai contemplé Diane nue aux côtés d'Actéon...

J'ai inventé des mises en scène, créé des décors, essayé de saisir les états d'âme de

« mes » héros... Et j'en ai profité, j'ai constamment régalé mon imagination !

Cher lecteur, peut-être ces métamorphoses changeront-elles un peu votre vision du monde, comme elles ont changé la mienne...

Puissent-elles, en tout cas, vous ouvrir la porte d'un monde de rêves vieux de plus de deux mille ans, de rêves qui, de génération en génération, ont imprégné toute notre culture !

Car, vous verrez, vous entendrez souvent parler de Narcisse, d'Adonis, de Pygmalion, de Daphné, d'Arachné... On y fait sans cesse référence dans notre vie de tous les jours, dans notre vocabulaire, dans la littérature, dans l'art, en médecine, en psychanalyse...

Puisse également ce modeste ouvrage vous donner, plus tard, envie de découvrir l'œuvre originale d'Ovide.

Bonnes Métamorphoses !

BIBLIOGRAPHIE

Les Métamorphoses d'Ovide, préface de Jean-Pierre Néraudau, Folio, Gallimard, 1992.

Dictionnaire culturel de la mythologie gréco-romaine, ouvrage collectif sous la direction de René Martin, Nathan, 1992.

TABLE DES MATIÈRES

Ovide

Publius Ovidius Naso est né en 43 av. J.-C.

À seize ans, il suit des cours dans les meilleurs « ateliers de rhétorique » de Rome. Il y apprend l'éloquence et l'art de s'exprimer en vers. Il y pratique des joutes d'expression (les *déclamationes*) et s'y distingue très vite. Ses talents d'orateur, sa culture, sa sensibilité, son esprit aiguisé surprennent et séduisent ses professeurs.

Plus tard, il compose des œuvres d'inspiration érotique comme les *Amours* qui chantent sa passion imaginaire pour une jeune fille prénommée Corinne ou comme les *Héroïdes*, un recueil de lettres dans lesquelles « les belles abandonnées de la mythologie » telles Pénélope, Phèdre ou Ariane écrivent à leur époux absent.

En l'an 1, il publie *L'Art d'aimer* qui fait grand bruit. Avec humour et subtilité, il décrit la façon de séduire, de badiner. Ovide s'intéresse aussi, c'est nouveau pour l'époque, à ce que ressentent les femmes. Il analyse avec pertinence leur comportement, leurs attentes, leurs sensations, leurs sentiments...

La même année, il s'attelle aux *Métamorphoses,* un immense poème consacré aux transformations des dieux ou d'humains en animal, en végétal, en fleuve, en astres... Il transcrit ainsi deux cent trente et une histoires issues de la mythologie gréco-romaine.

En l'an 8, l'empereur Auguste l'accuse d'avoir tenu des propos immoraux dans *L'Art d'aimer* et le condamne à l'exil à

Tomes en Roumanie. Ovide souffre. Lui le beau parleur, le brillant orateur, ne supporte pas la solitude et l'isolement. Il change de registre et évoque sa tourmente et sa douleur dans des poèmes épistolaires (les *Tristes* et les *Pontiques*)...
Il meurt en 17 ou en 18 ap. J.-C.

Laurence Gillot

Le 10 septembre 1998

J'écris « Callisto » et, peu à peu, je deviens Callisto ! Je suis devenue une ourse. Je hais Jupiter et je hais Junon, je ne supporte pas ces dieux ou ces gens tout-puissants qui ne respectent pas les autres.

Je n'arrive plus à tenir mon bébé sans le griffer, quand je l'embrasse, je le blesse avec mes dents acérées. Je souffre et j'écris ma douleur... sur mon ordinateur. Soudain, je vois des pattes griffues à la place de mes mains. Je sursaute, je suis fatiguée.

Lorsque plus tard, j'aperçois l'ours en peluche de ma fille Sophie qui traîne sur le palier, je le salue comme un frère.

18 septembre

Aujourd'hui, je travaille sur « Io ». Après deux heures de lecture-écriture (en grignotant des dattes), je pars à l'*Est Républicain*, là où je suis journaliste. Je sors de chez moi un peu abrutie, le manteau de travers, le lundi boutonné avec le mardi. Il fait froid mais le ciel est bleu, le cumulus cotonneux. Je lève la tête et appelle : « Jupiter ! Montre-toi ! » Je vais lui dire, moi, ce que je pense de ses façons de faire avec les nymphes ! J'aimerais apercevoir sa tête entre deux nuages mais il fait celui qui n'entend pas.

24 octobre

Je me regarde dans l'eau de mon bain en pensant à Narcisse.

C'est assez fascinant de regarder son propre reflet. Néanmoins, comment a-t-il pu tomber amoureux de lui-même sans s'en rendre compte ?

Tiens, au fait, j'ai trois bulbes de narcisses dans mon jardin. Ils refleuriront au printemps.

29 octobre

Je me promène dans la campagne lorraine. Un taureau noir broute paisiblement dans un pré. Et si je me prenais pour Europe ! Oh, et puis non ! peut-être une autre fois...

1er novembre

Je cuisine. Je mets une feuille de laurier dans la cocotte et je pense à Daphné. J'imagine son cœur qui bat sous l'écorce et je me souviens que Laurence signifie « couronnée de lauriers ». Mon prénom à cet instant prend un autre sens.

10 novembre

Ma voiture tombe en panne. Je suis en compagnie de ma grande fille Clara et nous devons marcher ou prendre le bus (y'a pas de métro à Nancy). Heureusement, Clara qui a huit ans a une idée :

– Et si on appelait Vénus !

Quelques jours avant, je lui ai raconté que Vénus se déplace parfois à bord d'un char volant tiré par des cygnes, cela l'a fait rêver.

On a crié :

– Vénus ! Vééénus !

J'imaginais déjà l'attelage céleste atterrir dans notre rue. La tête des voisins !

Et puis on a pris la ligne n° 3 pour rentrer à la maison.

18 novembre

En ce mois de novembre tout gris, j'écris les premières lignes d'« Adonis ». Il n'est pas encore né. Recroquevillé sur lui-même, la tête vers le bas, il grandit au cœur d'un tronc d'arbre. Je suis émue par cette maternité.

Soudain, un rayon de soleil m'éclaire. Je lève les yeux vers l'astre brûlant et je repense immédiatement à Phaéton. Ses chevaux ardents piquent sur le pôle. L'image est forte.

Quand l'été viendra, je penserai, c'est sûr, à Pyrame et à Thisbé en savourant les premières mûres, à Arachné en sursautant devant une grosse araignée...

Je crois que les *Métamorphoses* ont... transformé ma vision du monde et de toutes les choses qui m'entourent.

Le 11 décembre 1998 à Nancy

PARMI LES OUVRAGES
DU MÊME AUTEUR

Rendez-vous sur Baobab, Épigones (coll. Myriade), 1996.
L'Affaire du Labo, Épigones (coll. Myriade), 1997
Invité à l'Élysée, Bayard Presse (coll. J'aime lire), 1997.
Histoire du soir, Flammarion (Atelier du Père-Castor), 1997
Coup de foudre, Bayard Presse (coll. Je bouquine), 1998.

Aux Éditions Nathan Jeunesse,
dans la collection « Planète Lune » :

Patience, Prinçounet !, Étoile filante, 1999.

Arnauld Rouèche

... J'aurais préféré
l'aigle royal ou encore
le dauphin...

Arnault
ROUÈCHÉ

...t
là !

Dans la même collection

Contes et Légendes de Bretagne, Yves Pinguilly.

Contes et Légendes de Provence, Jean-Marie Barnaud.

Contes et Légendes des fées et des princesses, Gudule.

Contes et Légendes des lieux mystérieux, Christophe Lambert.

Contes et Légendes de la peur, Gudule.

Contes et Récits des chevaux illustres, Pierre Davy.

Contes et Légendes des animaux magiques, Collectif.

Contes et Récits des héros de la montagne, Christian Léourier.

Contes et Légendes de la nature enchantée, Collectif.

Contes et Récits - Icare et les conquérants du ciel, Christian Grenier.

Contes et Légendes - Barberousse et les conquérants de la Méditerranée, Claire Derouin.

Contes et Légendes du Loup, Léo Lamarche.

Contes et Légendes des Mille et Une Nuits, Gudule.

Contes et Récits des pirates, corsaires et flibustiers, Stéphane Descornes.

Contes et Légendes des Fantômes et Revenants, Collectif.

Contes et Récits du Cirque, Laurence Gillot.

Contes et Légendes de l'Amour, Gudule.

Contes et Récits - Alexandre le Grand, Dominique Joly.

N° de projet : 10136685
Dépôt légal : janvier 2007
Loi n° 49 956 du 16 juillet 1949
sur les publications destinées à la Jeunesse
ISBN : 978-2-09-282322-4